KB096581

特허청 등록
최보규 자기계발코칭 창시자
등록 번호: 제 40-2072344 호

강사는 누구나 한다. 다만
강사 비수기 5개월은 아무나 극복하지 못한다.

강사 비수기 5개월 극복 시스템
방탄강사기술력 12단계 시스템

강사는 누구나 한다. 다만
강사 비수기 5개월은 아무나 극복하지 못한다.

방탄강사기술력 사명

들어라 하지 말고 듣게 하자.
누구처럼 살지 말고 나답게 살자.
좋아하게 하지 말고 좋아지게 하자.
마음을 얻으려 하지 말고 마음을 열게 하자.
믿으라 말하지 말고 믿을 수 있는 사람이 되자.
좋은 사람을 기다리지 말고 좋은 사람이 되어주자.
보여주는(인기) 인생을 사는 것이 아닌
보여지는(인정) 인생을 살아가자.
나 이런 사람이야 말하지 않아도 이런 사람이구나.
몸, 머리, 마음으로 느끼게 하자

-최보규 방탄기술력 창시자 -

방탄자기계발사관학교
최보규 참모총장

지금처럼이 아닌 지금부터 살게 해주겠습니다.
때를 기다리는 사람이 아닌 때를 만들어가는
사람으로 변화시켜 주겠습니다.
세상에는 최보규 코칭전문가 보다
코칭을 잘 하는 사람 많습니다.
하지만 세상에서 최보규 코칭전문가 만큼
함께 하는 사람을
자립할 수 있을 때까지 케어해주는 사람은 없을 것입니다!

최보규 방탄자기계발사관학교 참모총장

5

강사 비수기 5개월
머리말

강사는 누구나 한다. 다만
강사 비수기 5개월은 아무나 극복하지 못한다.

돈을 버는 강사! 돈을 못 버는 강사!

20,000명 심리 상담, 코칭으로
알게 된 강사 비수기 극복 방법!
세계 최초 오픈!

★ ★ ★ ★
ONLY ONE
방탄강사
기술력

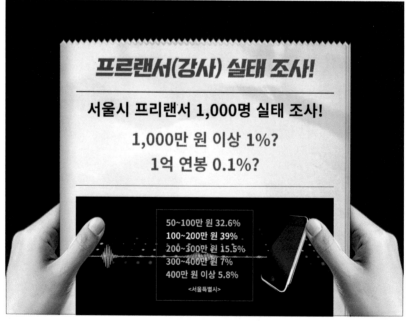

강사 비수기 5개월

프르랜서(강사) 39%가 평균 152만 원.
(24년 최저 임금 206만 원)
<u>**최저 임금 보다 못 버는 강사가 대부분이다.**</u>

100만 프리랜서 90%가 생계형!

강사 비수기 5개월

생계형 강사가 90% 현실인데 강사양성 하는 교육자들, 강사책들 대부분이 "한 달에 1,000만 원 강사 될 수 있습니다! 1억 연봉 강사 될 수 있습니다!" 라는 <u>거짓말</u>로 시작하는 강사들을 <u>현혹</u>시킨다. <u>강사 직업에 직무유기</u>를 하고 있다.

한 달 1,000만 원 강사?
1억 연봉 강사?

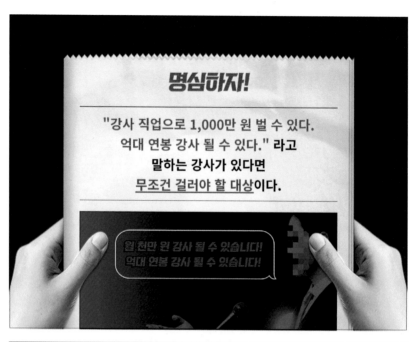

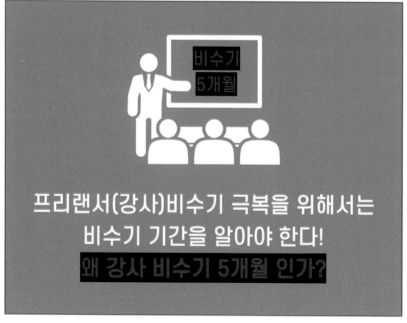

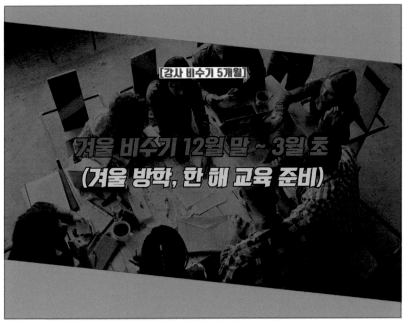

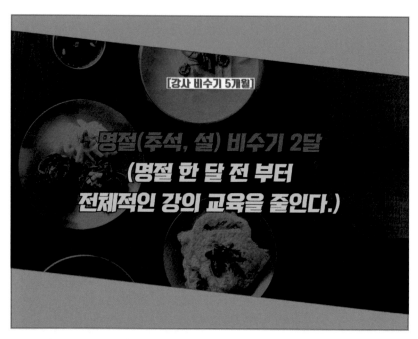

[강사 비수기 5개월]

명절(추석, 설) 비수기 2달
(명절 한 달 전 부터
전체적인 강의 교육을 줄인다.)

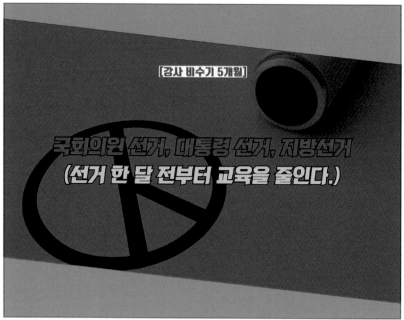

[강사 비수기 5개월]

국회의원 선거, 대통령 선거, 지방선거
(선거 한 달 전부터 교육을 줄인다.)

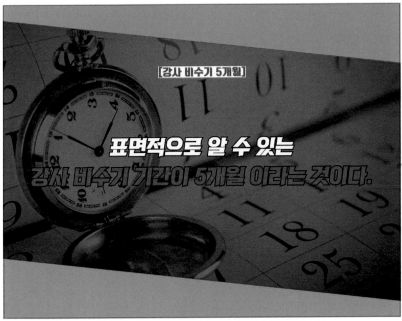

강사 비수기 5개월을
극복하기 위한 선택지는
2가지뿐이다.

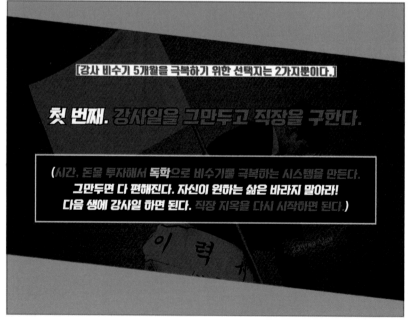

[강사 비수기 5개월을 극복하기 위한 선택지는 2가지뿐이다.]

첫 번째. 강사일을 그만두고 직장을 구한다.

(시간, 돈을 투자해서 **독학**으로 비수기를 극복하는 시스템을 만든다.
그만두면 다 편해진다. 자신이 원하는 삶은 바라지 말아라!
다음 생에 강사일 하면 된다. 직장 지옥을 다시 시작하면 된다.)

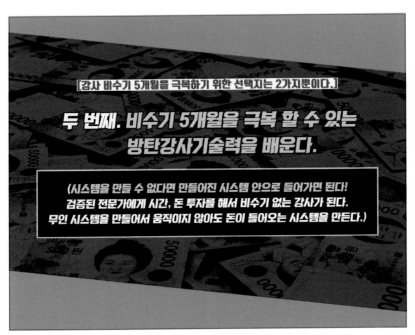

두 번째. 비수기 5개월을 극복 할 수 있는 방탄강사기술력을 배운다.

(시스템을 만들 수 없다면 만들어진 시스템 안으로 들어가면 된다! 검증된 전문가에게 시간, 돈 투자를 해서 비수기 없는 강사가 된다. 무인 시스템을 만들어서 움직이지 않아도 돈이 들어오는 시스템을 만든다.)

20,000명 심리 상담, 코칭으로 알게 된

강사 비수기 5개월

돈 못 버는 강사 6가지 유형

돈 버는 강사 6가지 유형

20,000명 심리 상담, 코칭으로 알게 된
강사 비수기 5개월 <u>돈 못 버는 강사 6가지 유형</u>

1. 강사 인맥 없음.
2. 강의 거래처 없음.
3. 강사 스펙 없음.
4. 강사료 10만 원 이하 강의만 하는 강사 (평균 10건 강의 중 80%가 10만 원 이하 강의를 하는 강사. 10건 중 8건 평균 강사료가 1시간에 10만 원 이라면 <u>강사 몸값은 10만 원이 되는 것이다.</u>)
5. 강의 경력이 10년, 20년이 되어도 강사료가 그대로인 강의를 하는 강사 (관공서 강의, 학교 강의, 복지관 강의, 의무 교육 강의...강사료가 100년이 지나도 고정되어 있는 강의 분야)
6. 온라인 콘텐츠, 디지털 콘텐츠 디자인 제작을 못하는 강사

#. 6가지 유형 중 한 가지라도 해당되면 돈을 벌 수 없다.

20,000명 심리 상담, 코칭으로 알게 된
강사 비수기 5개월 <u>돈 버는 강사 6가지 유형</u>

1. 강사 양성 교육 시스템(강사 교육, 코칭)이 있는 강사

2. 민간 자격증 교육 시스템(검증된 민간 자격증 발급 기관)이 있는 강사

3. 단톡, 밴드, 카페, 모임방(100명 이상)을 운영하는 단체, 협회 장

4. 강사 에이전시(기업과 강사를 연결) 역할을 하는 단체, 협회 장

5. 강의 전문 분야로 온라인 콘텐츠 제작

   (PPT 디자인, 영상 디자인, 홍보 디자인)을 할 수 있는 강사

6. 책, 디지털 콘텐츠 제작으로 무인 시스템을 만든 강사

#. 6가지 유형을 모두 하더라도 돈을 무조건 버는 것이 아니다. 극소수 강사만 돈을 번다.(0.1%)

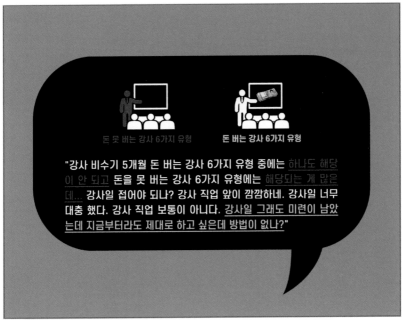

당신에 천재일무 시스템!
강사계의 스티브잡스!
강사계 혁신!

[천재일우(千載一遇): 천 년에 한 번 만난다는 뜻으로 좀처럼 만나기 어려운 기회]

Google 자기계발아마존 　 ▶YouTube 방탄자기계발 　 NAVER 방탄강사기술력 　 NAVER 최보규

18

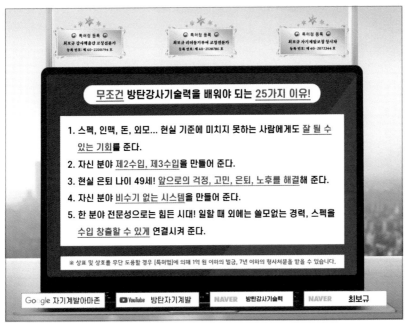

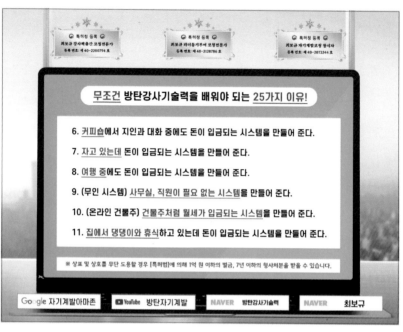

무조건 방탄강사기술력을 배워야 되는 25가지 이유!

6. 커피숍에서 지인과 대화 중에도 돈이 입금되는 시스템을 만들어 준다.

7. 자고 있는데 돈이 입금되는 시스템을 만들어 준다.

8. 여행 중에도 돈이 입금되는 시스템을 만들어 준다.

9. (무인 시스템) 사무실, 직원이 필요 없는 시스템을 만들어 준다.

10. (온라인 건물주) 건물주처럼 월세가 입금되는 시스템을 만들어 준다.

11. 집에서 댕댕이와 휴식하고 있는데 돈이 입금되는 시스템을 만들어 준다.

※ 상표 및 상호를 무단 도용할 경우 [특허법]에 의해 1억 원 이하의 벌금, 7년 이하의 형사처분을 받을 수 있습니다.

Google 자기계발아마존   ▶YouTube 방탄자기계발   NAVER 방탄강사기술력   NAVER 최보규

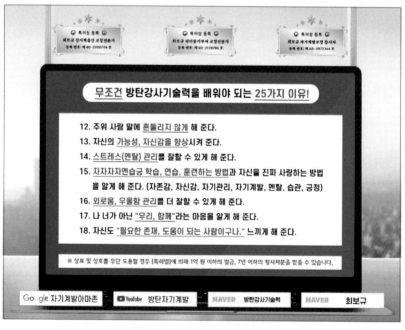

무조건 방탄강사기술력을 배워야 되는 25가지 이유!

12. 주위 사람 말에 흔들리지 않게 해 준다.

13. 자신의 가능성, 자신감을 향상시켜 준다.

14. 스트레스(멘탈) 관리를 잘할 수 있게 해 준다.

15. 자자자멘습긍 학습, 연습, 훈련하는 방법과 자신을 진짜 사랑하는 방법
    을 알게 해 준다. (자존감, 자신감, 자기관리, 자기계발, 멘탈, 습관, 긍정)

16. 외로움, 우울함 관리를 더 잘할 수 있게 해 준다.

17. 나 너가 아닌 "우리, 함께"라는 마음을 알게 해 준다.

18. 자신도 "필요한 존재, 도움이 되는 사람이구나." 느끼게 해 준다.

※ 상표 및 상호를 무단 도용할 경우 [특허법]에 의해 1억 원 이하의 벌금, 7년 이하의 형사처분을 받을 수 있습니다.

Google 자기계발아마존   ▶YouTube 방탄자기계발   NAVER 방탄강사기술력   NAVER 최보규

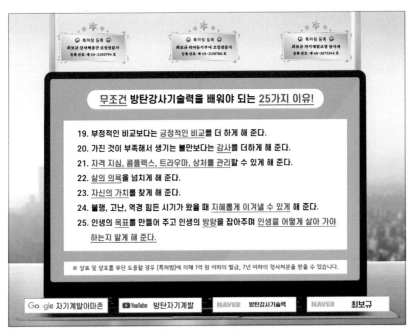

<u>무조건</u> 방탄강사기술력을 배워야 되는 25가지 이유!

19. 부정적인 <u>비교</u>보다는 긍정적인 <u>비교</u>를 더 하게 해 준다.

20. 가진 것이 부족해서 생기는 불만보다는 <u>감사</u>를 더하게 해 준다.

21. <u>자격 지심, 콤플렉스, 트라우마, 상처</u>를 관리할 수 있게 해 준다.

22. 삶의 <u>의욕</u>을 넘치게 해 준다.

23. <u>자신의 가치</u>를 찾게 해 준다.

24. 불행, 고난, 역경 힘든 시기가 왔을 때 <u>지혜롭게 이겨낼 수 있게</u> 해 준다.

25. 인생의 <u>목표</u>를 만들어 주고 인생의 <u>방향</u>을 잡아주며 <u>인생</u>을 어떻게 살아 가야 하는지 알게 해 준다.

※ 상표 및 상호를 무단 도용할 경우 [특허법]에 의해 1억 원 이하의 벌금, 7년 이하의 형사처분을 받을 수 있습니다.

Google 자기계발아마존 ▶YouTube 방탄자기계발 NAVER 방탄강사기술력 NAVER 최보규

강사계의 스티브잡스!
강사계 혁신! 방탄강사기술력!

방탄강사기술력은 당신에게
천재일우!

[천재일우(千載一遇): 천 년에 한 번 만난다는 뜻으로 좀처럼 만나기 어려운 기회]

Google 자기계발아마존 ▶YouTube 방탄자기계발 NAVER 방탄강사기술력 NAVER 최보규

방탄강사기술력을 무조건
배워야 되는 25가지 이유

강사는 누구나 한다. 다만
강사 비수기 5개월은 아무나 극복하지 못한다.

돈을 버는 강사! 돈을 못 버는 강사!

20,000명 심리 상담, 코칭으로
알게 된 강사 비수기 극복 방법!
세계 최초 오픈!

★ ★ ★ ★ ★
ONLY ONE
방탄강사
기술력

★★★★★ 방탄강사기술력

커피숍에서 지인과
대화 중에도 돈이
입금되는 시스템?

자고 있는데
돈을 버는 시스템?

여행 중에도 돈이
입금되는 시스템?

사무실, 직원이
필요 없는 시스템?

건물주처럼
월세가
입금되는 시스템?

집에서 댕댕이와
휴식하고 있는데 돈이
입금되는 시스템?

방탄강사기술력은
강사 비수기 극복, 수입 창출만 하는
기술력이 아니다.
"당신은 제가 좋은 사람이 되고
싶도록 만들어요." 말을 들을 수 있는
강사 인재를 양성하는 기술력이다!

Google 자기계발아마존 ｜ ▶YouTube 방탄자기계발 ｜ NAVER 방탄강사기술력 ｜ NAVER 최보규

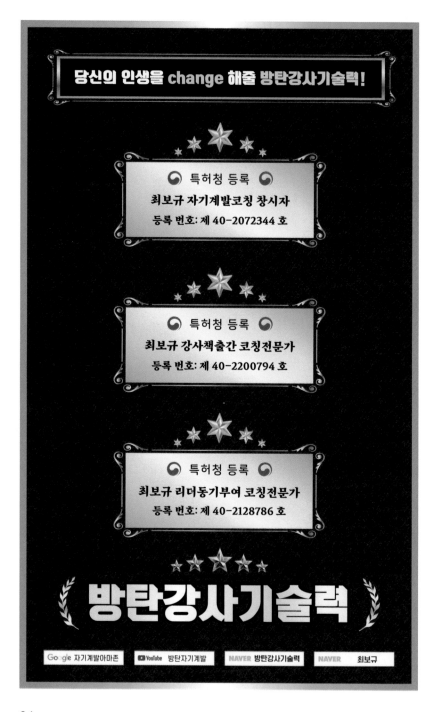

당신의 인생을 change 해줄 방탄강사기술력!

특허청 등록
최보규 자기계발코칭 창시자
등록 번호: 제 40-2072344 호

특허청 등록
최보규 강사책출간 코칭전문가
등록 번호: 제 40-2200794 호

특허청 등록
최보규 리더동기부여 코칭전문가
등록 번호: 제 40-2128786 호

방탄강사기술력

Google 자기계발아마존   YouTube 방탄자기계발   NAVER 방탄강사기술력   NAVER 최보규

24

평균 희망 은퇴 73세, 현실 은퇴 나이 49세!
100세 시대 언제까지 몸(노동)으로만
일해서 돈을 벌 것인가?

세상, 현실 기준에서 스펙, 돈, 인맥, 자산 등이 없어서 100세까지 노동을 해야 되고 몸까지 아프면 더 답이 없는 상황! 젊을 때는 100가지 중 99가지를 할 수 있지만 나이 들면 100가지 중 99가지를 할 수 없다. 3고 시대, AI 시대, 챗GPT 시대에 자신의 직업이 사라 질 수 있는 상황에서 어떻게 준비, 대비할 것인가?

 방탄강사기술력
선택이 아닌 필수!

★ ★ ★ ★ ★
ONLY ONE
방탄강사
기술력

| Google 자기계발아마존 | ▶ YouTube 방탄자기계발 | NAVER 방탄강사기술력 | NAVER 최보규 |

기업들 희망퇴직 만 40세부터... **희망퇴직 나이 73세**
이고 대한민국 현실 은퇴 나이 49세! 20대 은퇴 예정
자? 30대 은퇴 확정자? 40대 은퇴 위험군?

노벨상 받은 사람, 하버드 대학교 교수, 은퇴 전문가,
노후 전문가들 1,000명 이면 1,000명 이 말하는 것은
최고의 은퇴 준비, 노후 준비는 100세까지 현역을 하
는 것이다. 왜 가지고 있는 경력을 썩히고 있는가? 쌓
은 경력은 사직, 퇴직, 은퇴... 하면 인정해 주지 않는
현실 속에서 쌓은 경력으로 100세까지 지속할 수 있
는 JOB이 있다면? 나이 제한 없이 할 수 있는 JOB이
있다면?

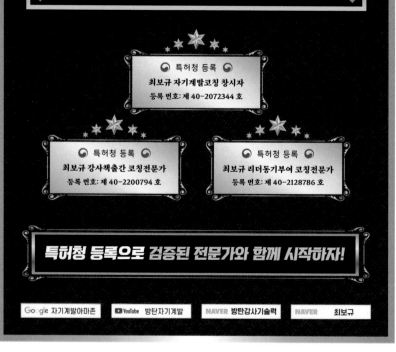

⊙ **특허청 등록** ⊙
최보규 자기계발코칭 창시자
등록 번호: 제 40-2072344 호

⊙ **특허청 등록** ⊙
최보규 강사책출간 코칭전문가
등록 번호: 제 40-2200794 호

⊙ **특허청 등록** ⊙
최보규 리더동기부여 코칭전문가
등록 번호: 제 40-2128786 호

특허청 등록으로 검증된 전문가와 함께 시작하자!

Google 자기계발아마존　　YouTube 방탄자기계발　　NAVER 방탄강사기술력　　NAVER 최보규

한 분야 전문성으로 힘든 시대다. 이제는 포트폴리오 커리어 시대다. (포트폴리오 커리어: 한 분야 전문성 외 다수에 전문성이 있는 사람) 자신 경력을 왜 썩히고 있는가! 자신 경력을 활용해서 6가지 수입을 발생시킬 수 있는 방탄강사기술력! 언제까지 몸(노동)으로 일할 것인가? 자신 경력이 일하게 하자! 자신 콘텐츠가 일하게 하자! 시스템이 일하게 하자!

★ ★ ★ ★ ★

직장은 자신 인생을 책임져 주지 않지만
방탄강사기술력은 자신 인생을 책임져 준다.
직장은 자신을 배신하지만
방탄강기술력은 자신을 배신하지 않는다.

방탄강사기술력을 ✓
무조건 배워야 되는 이유!

 25가지

1 스펙, 인맥, 돈, 외모... 현실 기준에 미치지 못하는 사람에게도 잘될 수 있는 기회를 준다.

2 자신 분야 제2수입, 제3수입을 만들어 준다.

3 현실 은퇴 나이 49세! 앞으로의 걱정, 고민, 은퇴, 노후를 해결해 준다.

4 자신 분야 비수기 없는 시스템을 만들어 준다.

5 한 분야 전문성으로는 힘든 시대! 일할 때 외에는 쓸모 없는 경력, 스펙을 수입 창출할 수 있게 연결시켜 준다.

방탄강사기술력을 무조건 배워야 되는 이유!

✓ 25가지

6 | 커피숍에서 지인과 대화 중에도 돈이 입금되는 시스템을 만들어 준다.

7 | 자고 있는데 돈이 입금되는 시스템을 만들어 준다.

8 | 여행 중에도 돈이 입금되는 시스템을 만들어 준다.

9 | (무인 시스템) 사무실, 직원이 필요 없는 시스템을 만들어 준다.

10 | (온라인 건물주) 건물주처럼 월세가 입금되는 시스템을 만들어 준다.

방탄강사기술력을
무조건 배워야 되는 이유!

 25가지

11 | 집에서 댕댕이와 휴식하고 있는데 돈이 입금 되는 시스템을 만들어 준다.

12 | 주위 사람 말에 흔들리지 않게 해 준다.

13 | 자신의 가능성, 자신감을 향상시켜 준다.

14 | 스트레스(멘탈) 관리를 잘할 수 있게 해 준다.

15 | 자자자자멘습긍 학습, 연습, 훈련하는 방법과 자신을 진짜 사랑하는 방법 을 알게 해 준다. (자존감, 자신감, 자기관리, 자기계발, 멘탈, 습관, 긍정)

✓ 방탄강사기술력을 무조건 배워야 되는 이유!

 25가지

16	외로움, 우울함 관리를 더 잘할 수 있게 해 준다.
17	나 너가 아닌 "우리, 함께"라는 마음을 알게 해 준다.
18	자신도 "필요한 존재, 도움이 되는 사람이구나." 느끼게 해 준다.
19	부정적인 비교보다는 긍정적인 비교를 더 하게 해 준다.
20	가진 것이 부족해서 생기는 불만보다는 감사를 더하게 해 준다.

방탄강사기술력을 ✓ 무조건 배워야 되는 이유!

 25가지

21 | 자격 지심, 콤플렉스, 트라우마, 상처를 관리 할 수 있게 해 준다.

22 | 삶의 의욕을 넘치게 해 준다.

23 | 자신의 가치를 찾게 해 준다.

24 | 불행, 고난, 역경 힘든 시기가 왔을 때 지혜롭게 이겨낼 수 있게 해 준다.

25 | 인생의 목표를 만들어 주고 인생의 방향을 잡아주며 인생을 어떻게 살아 가야 하는지 알게 해 준다.

강사 비수기 5개월
목차

강사는 누구나 한다. 다만
강사 비수기 5개월은 아무나 극복하지 못한다.

돈을 버는 강사! 돈을 못 버는 강사!

20,000명 심리 상담, 코칭으로
알게 된 강사 비수기 극복 방법!
세계 최초 오픈!

ONLY ONE

방탄강사
기술력

목차

《강사 비수기 5개월 10》

2장. 강사 비수기 5개월을 극복하기 위한 방탄강사기술력 6가지 시스템

강사는 누구나 한다. 다만
강사 비수기 5개월은 아무나 극복하지 못한다.

돈을 버는 강사! 돈을 못 버는 강사!

20,000명 심리 상담, 코칭으로
알게 된 강사 비수기 극복 방법!
세계 최초 오픈!

★★★★
ONLY ONE

**방탄강사
기술력**

2. 포트폴리오 커리어 강사 리더는 왜!

방탄강사 자기계발을 해야 하는가?

방탄강사 리더의 스피치는 프로 강사처럼해야 한다! 강사 리더 스피치에서 믿음, 신뢰, 진정성, 비전, 가치, 열정, 가능성, 동기부여 등이 나온다! 들어라 스피치가 아니라 듣게 하는 스피치! 따르라 말 하지 않아도 따르게 하는 스피치! 행동하게 만드는 3D스피치, 4D스피치

- 리더는 프로 강사처럼 말, 표정, 행동이 나와야 한다.

다른 자기계발도 많은데 군이 강사 자기계발을 해야 할까? 결론부터 말하면 강사처럼 리더는 앞자리에서 말, 표정, 행동을 어떻게 보여 주냐에 따라서 믿음, 신뢰, 진정성, 비전, 가치, 열정, 가능성, 동기부여 등이 조직체 구성원들에게 영향력을 끼친다. 특히 영업쪽에 있는 리더들은 어떤 분야보다 강사 자기계발을 프로 강사처럼 해야 한다. 왜? 사람의 심리, 본능은 자신보다 대단해 보이는 사람을 믿고 의지하고 따르려고 한다. 그런데 리더가 조직체 앞에서 말을 하는데 말, 표정, 행동에서 믿음, 신뢰, 진정성, 비전, 가치, 열정, 가능성, 동기부여가 느껴지지 않는다면? 회사가 아니라 리더가 비전이 없어서 떠나는 경우가 더 많다. 리더가 비전이 없다면 회사가 비전이 없는 것이다. 리더는 말도 잘해야 한다. 리더는 말이 아니라 강사 스피치를 해야 한다.

특히 영업 쪽에 있는 조직체 원들은 신입 외에 대부분 영업사원들 말, 표정, 행동이 프로 강사 못지않다. 리더가 영업사원, 조직체 원들 보다 말, 표정, 행동이 아마추어 같다면? 리더를 무시하는 건 당연한 것이고 이것은 사람의 심리, 본능이라는 것을 알아야 한다.
"난 리더, 사장이니까 조직체 원들이 알아서 당연하게

리더를 존중해야 한다!" 이런 태도의 리더는 세상에서 가장 멍청한 리더십을 가지고 있는 리더다.

꼰대십(리더병)을 보여주는 리더, 사장, 대표!
"저 리더는 어떻게 리더, 사장이 되었을까? 의심스러워 돈만 많아서 리더, 사장, 대표하는 거 같아. 전혀 리더십을 찾아 볼 수 가 없어. 나도 돈 있으면 당신보다 더 잘하겠다. 스피치 더럽게 못한다. 차라리 말을 하지 마라! 말을 하면 있던 비전, 열정, 가능성이 떨어져 퇴사 날짜를 당기게 한다."

방탄리더십을 보여주는 리더, 사장, 대표!
"우리 리더님은 프로 강사처럼 말을 해! 말, 표정, 행동에서 믿음, 신뢰, 진정성, 비전, 가치, 열정, 가능성, 동기부여...등이 느껴져 대단해! 우리 리더는 스피치 코칭을 따로 배우나 봐! 스피치가 프로 강사야. 나도 우리 리더님 같은 스피치를 배우고 싶다. 우리 리더는 보고 배울 게 많은 사람이야. 오래 함께 해야지."

리더가 조직체 원들을 움직이게 하는 최고의 방법은 자신이 가지고 있는 능력보다 더 대단한 능력이 있다는 것을 보여 줄 때 따르라 말하지 않아도 따르게 된다. 따르라고 하면 한 달 가고 따르게 하면 100년 간다.

대한민국 99%가 책 쓰기, 출간하는 방법만
교육, 코칭 한다!
6가지 수입 창출 책 쓰기, 출간 기술력을
교육, 코칭 하는 곳은 방탄book출판사뿐이다.

방법만 배우면 돈이 계속 나가지만
방탄book기술력을 배우면
돈은 계속 들어온다.

- 90%가 잘 못 알고 있는 스피치 본질! 스피치 고.틀. 선.편 깨기(고정관념, 틀, 선입견, 편견)

20,000명 심리 상담, 코칭 하면서 알게 된 것은 리더들 90%가 스피치는 "발음을 정확하게 발성을 명료하게 말 하는 것이고 상대방이 잘 알아들을 수 있도록 말을 잘 하는 것이며 자신의 의사를 정확하게 전달하는 것이다." 라고 알고 있다. 틀린 말은 아니지만 틀렸다.

"틀린 말은 아닌지만 틀렸다?" 이 말이 무슨 말일까? 틀린 말이 아니라고 말한 이유는 리더들 90%가 알고 있는 것이 스피치의 이론, 방법, 공식이기 때문이고 틀 렸다고 말한 이유는 스피치 이론, 방법, 공식보다 선행 되어야 할 것이 리더 자신의 1. 삼성(진정성, 전문성, 신 뢰성)스피치, 2. 스피치 자존감, 3. 스피치 멘탈, 4. 스피 치 습관, 5. 스피치 행복, 6. 스피치 자기계발, 7. 스피 치 코칭 학습, 연습, 훈련이 되어 있지 않으면 스피치 이론, 방법, 공식은 효과를 보지 못하기 때문에 틀린 말 은 아니지만 틀렸다고 하는 것이다.

이 시점에서 이런 의문점이 90% 생길 것이다. "보편적 으로 시중에 나온 수많은 스피치 책, 영상에서는 스피치 이론, 방법, 공식이 중요하다고 하는데 최보규 방탄리더 스피치 전문가는 다른 말을 하는 이유가 뭘까?"

이유 설명을 하기 전에 스피치 이론, 방법, 공식보다 더 중요하고 선행되어야 할 것이 리더 자신의 1. 삼성(진정성, 전문성, 신뢰성)스피치, 2. 스피치 자존감, 3. 스피치 멘탈, 4. 스피치 습관, 5. 스피치 행복, 6. 스피치 자기계발, 7. 스피치 코칭 학습, 연습, 훈련이라는 것을 깨닫게 해주는 스토리텔링을 먼저 보겠다.

생쥐가 한 마리가 있었다. 생쥐는 늘 고양이를 무서워하며 살았다. 마법사에게 찾아가 고양이의 천적인 개로 만들어 달라고 했다. 레드썬! 개의 모습이 되어 고양이 앞에 갔는데 또 무서움이 사라지지 않았다.

마법사에게 찾아가 호랑이로 만들어 달라고 했다. 레드썬! 호랑이의 모습이 되어 고양이 앞에 갔는데 또 무서움이 사라지지 않았다.

마법사에게 찾아가서 사람으로 만들어 달라고 했다. 레드썬! 사람의 모습이 되어 고양이 앞에 갔는데 또 무서움이 사라지지 않았다.

결국 생쥐를 도와줬던 마법사가 사람이 된 생쥐를 다시 본래의 생쥐를 만들어 주면서 이렇게 말했다.

"너의 모습이 아무리 좋게 바뀌어도 생쥐의 가슴을 가지고 있는 한 그때뿐이다".

《마음을 밝혀주는 소금 1》 내용 각색

아무리 화려하고 멋있는 것 일지라도 포장지일 뿐이다. 포장지가 아무리 화려할지라도 내면이 [리더 자신의 1. 삼성(진정성, 전문성, 신뢰성)스피치, 2. 스피치 자존감, 3. 스피치 멘탈, 4. 스피치 습관, 5. 스피치 행복, 6. 스피치 자기계발, 7. 스피치 코칭] 바뀌지 않으면 쓰레기가 된다는 것을 깨닫게 해주는 스토리다.

생쥐의 심장 스토리텔링을 스피치로 비유하면 스피치 이론, 방법, 공식은 생쥐가 겉모습만 바꾸고 싶어 하는 고양이, 개, 호랑이, 사람이고 생쥐의 심장은 평상시 학습, 연습, 훈련이 되어 있지 않은 리더 자신의 1. 삼성(진정성, 전문성, 신뢰성)스피치, 2. 스피치 자존감, 3. 스피치 멘탈, 4. 스피치 습관, 5. 스피치 행복, 6. 스피치 자기계발, 7. 스피치 코칭이라고 말할 수 있다.

간단히 정리를 하면 리더의 방탄 리더 스피치 7단계 시스템이 [리더 자신의 1. 삼성(진정성, 전문성, 신뢰성)스피치, 2. 스피치 자존감, 3. 스피치 멘탈, 4. 스피치 습관, 5. 스피치 행복, 6. 스피치 자기계발, 7. 스피치 코칭] 평상시 학습, 연습, 훈련되어 있지 않으면 스피치 이론, 방법, 공식을 배우더라도 늘 그때뿐이고 시간, 돈 낭비만 한다는 것이다.

한마디로 리더 스피치 외모 성형이 중요한 것이 아니라 리더 스피치 내면 성형[리더 자신의 1. 삼성(진정성, 전문성, 신뢰성)스피치, 2. 스피치 자존감, 3. 스피치 멘탈, 4. 스피치 습관, 5. 스피치 행복, 6. 스피치 자기계발, 7. 스피치 코칭]을 먼저 해야지만 리더 스피치 외모 성형에 촛불처럼 금방 꺼지는 빛이 아닌 태양 빛처럼 오래 지속되는 빛이 나는 것이다.

20,000명 심리 상담, 코칭을 하면서 알게 된 것은 리더들 90%가 리더 스피치 내면 성형을 하지 않고 리더 스피치 외모 성형만 하려고 하니 스피치 책 1,000권, 스피치 영상 1,000개, 수많은 스피치 관련 교육을 보고 배우더라도 늘 그때뿐이라고 말하는 리더들이 많았다는 것이다. 시중에 있는 스피치 책, 영상들이 나쁘다고 말하는 것이 아니다. 스피치 이론, 방법, 공식들이 필요 없다고 말하는 것이 아니다. 스피치 본질이 중요하다고 말을 하는 것이다. 당연히 스피치 외모 성형을 통해 사람의 심리인 단기간에 빠른 효과를 보고 싶은 마음을 모르는 것은 아니다. 하지만 리더 스피치 내면 성형을 전혀 신경 안 쓰고 스피치 외모 성형에만 집착을 하니 문제가 많이 벌어진다는 것이다.

어떤 문제가 생길까? 오너 리스트, 오너의 갑질, 임원진의 갑질, 리더들의 위력, 직장내 괴롭힘...등 리더 스피치 외모 성형만 집착을 하게 돼서 발생한다는 것이다.

※. 리더 스피치 외면 성형보다 먼저 내면 성형을 하지 않으면 벌어지는 상황!

1. 리더십의 본질인 삼성(진정성, 전문성, 신뢰성)리더십이 나오지 않는 데 삼성스피치가 나오겠는가?

삼성(진정성, 전문성, 신뢰성)리더십, 스피치가 나오지 않으면 조직체원들은 회사의 애사심이 생기지 않아 임원진의 갑질, 직장내 괴롭힘이 발생하여 인재가 떠난다.

2. 자존감이 낮은데 자존감 높은 스피치가 나오겠는가?
리더의 자존감 낮은 스피치는 비전제시가 제대로 되지 않아서 조직체원들은 리더의 비전을 느끼지 못해서 인재가 떠난다.

3. 멘탈이 약한데 멘탈 강한 스피치가 나오겠는가?
리더의 멘탈 약한 스피치는 조직체원들의 멘탈을 약하게 만들어 자신감을 저하 시켜 인재가 떠난다.

4. 스피치를 망치는 습관이 있는데 스피치를 잘하겠는가?
리더의 안 좋은 스피치 습관은 조직체원들의 사기저하를 시켜 인재가 떠난다.

5. 행복하지 않은데 스피치에서 행복이 느껴지겠는가?
리더의 스피치에서 행복을 느끼지 못하면 조직체원들은 "행복하지 않는 리더와는 오래 있고 싶지 않다. 내일이라도 떠날 수 있는 준비를 하자"라는 태도로 함께 하는 척한다.

6. 리더다운 스피치 자기계발을 하지 못하는데 스피치 자기계발을 통해 수익을 극대화 시킬 수 있겠는가?

리더가 스피치 자기계발을 하지 못하면 "월급 말고는 배움, 변화, 성장이 없는 조직체 리더에게 보고 배울게 없다."라는 태도로 떠날 준비를 한다.

7. 인재 양성 코칭 스피치 매뉴얼, 시스템이 없는데 인재가 양성되기를 바라는가?

리더의 인재 양성 코칭 스피치 매뉴얼, 시스템이 없으면 "10년 전, 20년 전 자신의 경험, 노하우를 지금 시대에 먹힐 거라고 강요하는 꼰대십, 매뉴얼, 시스템, 자료화된 것 없이 주먹구구식으로 알려주는 자신의 옛날 호랑이 담배 피던 시절 노하우. '나 때는 말이야'라는 말을 외울 정도로 반복하는 의미부여, 동기부여! 전혀 도움 안 되는 스피치 지겹다. 지겨워."라는 마음을 들게 하여 불신이 생겨 인재 양성이 아닌 인재를 망치는 매뉴얼, 시스템을 리더 자신도 모르게 만들어 버린다.

리더여, 당신의 스피치에서는 무엇을 느낄 수 있고 무엇을 느끼게 하는가?

스피치에서 존중, 인성, 사랑, 배려, 양보가 느껴지는 않는 리더

스피치에서 열정이 느껴지는 않는 리더

스피치에서 비전이 느껴지는 않는 리더

스피치에서 내공이 느껴지는 않는 리더

스피치에서 삼성(진정성, 전문성, 신뢰성)이 느껴지는 않는 리더

스피치에서 당당함이 느껴지는 않는 리더

스피치에서 행복이 느껴지는 않는 리더

스피치에서 긍정의 에너지가 느껴지는 않는 리더

스피치에서 희망이 느껴지는 않는 리더

스피치에서 감사가 느껴지는 않는 리더

스피치에서 "함께 잘되고 잘 살자" 마음이 느껴지는 않는 리더

스피치에서 존중, 인성, 사랑, 배려, 양보가 느껴지는 리더

스피치에서 열정이 느껴지는 리더

스피치에서 비전이 느껴지는 리더

스피치에서 내공이 느껴지는 리더

스피치에서 삼성(진정성, 전문성, 신뢰성)이 느껴지는 리더

스피치에서 당당함이 느껴지는 리더

스피치에서 행복이 느껴지는 리더
스피치에서 긍정의 에너지가 느껴지는 리더
스피치에서 희망이 느껴지는 리더
스피치에서 감사가 느껴지는 리더
스피치에서 "함께 잘되고 잘 살자" 마음이 느껴지는 리더

리더여, 가족, 팀원, 조직체원들이 어떤 스피치를 바랄까? 성공한 사람 스피치? 위대한 스피치? 인지도 있는 스피치? 멋있는 스피치? 아나운서 스피치? 뉴스앵커 스피치? 정확한 발음이 나오는 스피치? 정확한 발성이 되는 스피치? 단언컨대 가족, 팀원, 조직체원들이 바라는 스피치는 지금 당장 가족, 팀원, 조직체원들에게 필요한 스피치다.
다음은 가족, 팀원, 조직체원들에게 필요한 스피치가 무엇인지 깨닫게 해주는 스토리텔링이다.

선생님은 좋은 의사입니까? 최고의 의사입니까? 지금 여기 누워있는 환자에게 물어보면 어떤 쪽 의사를 원한다고 할 거 같냐? 최고의 의사요? 아니! 필요한 의사다~~!!

지금 이 환자에게 절실히 필요한 것은 골절을 치료해

줄 의사야. 그래서 나는 내가 아는 모든 걸 총동원해서 이 환자에게 필요한 의사가 되려고 노력 중이다.

답이 됐냐? 네가 시스템을 탓하고 세상을 탓하고 그런 세상 만든 꼰대 탓하는 거 다 좋아. 좋은데...그렇게 남 탓해봐야 세상 바뀌는 건 아무것도 없어. 그래봤자 그 사람들 네 이름 석 자도 기억하지 못할 걸. 정말로 이기고 싶으면 필요한 사람이 되면 돼. 남 탓 그만하고 네 실력으로 네가 바뀌지 않으면 아무것도 바뀌지 않는다.

<SBS 드라마 낭만닥터 김사부>

지금 눈앞에 보이는 사람들이 필요로 하는 것이 무언지 상황파악을 하고 필요한 스피치를 했을 때 세상에서 가장 강력한 스피치가 나오고 사람의 마음을 움직이는 스피치가 나오는 것이다.

한마디로 나다운 스피치, 진심 스피치가 세상에서 가장 강력한 스피치다. 세계 인구 79억 명 나다운 스피치, 진심 스피치 79억 가지다.

나다운 스피치는 얄팍한 생각으로 한 순간에 효과를 보고 싶어서 스피치 이론, 방법, 공식을 속성으로 배운다고 나오는 게 아니다. "검증 된 나다운 스피치, 진심 스피치의 자세한 설명은 뒤에서 하겠다."

잘난 스피치를 하는 리더가 아니라 진실한 스피치를 하는 리더! 잘난 스피치를 하는 리더는 피하고 싶어지지만 진실한 스피치를 하는 리더는 곁에 두고 싶어진다.

대단한 스피치를 하는 리더가 아니라 좋은 스피치를 하는 리더! 대단한 스피치를 하는 리더는 부담을 주지만 좋은 스피치를 하는 리더는 행복을 준다.

멋진 스피치를 하는 리더가 아니라 따뜻한 스피치를 하는 리더! 멋진 스피치를 하는 리더는 눈을 즐겁게 하지만 따뜻한 스피치를 하는 리더는 마음을 데워 준다.

유명한 스피치를 하는 리더가 아니라 가족, 팀원, 조직체원들에게 필요한 스피치를 하는 리더! 유명한 스피치를 하는 리더는 환상을 주지만 필요한 스피치를 하는 리더는 배움, 변화, 성장, 지혜를 준다.

나다운 스피치, 진심 스피치, 진실한 스피치, 좋은 스피치, 따뜻한 스피치, 필요한 스피치는 자신의 시행착오, 대가 지불, 인고의 시간을 통해 스피치 본질인 방탄 리더 스피치 7가지[1. 삼성(진정성, 전문성, 신뢰성)스피치, 2. 스피치 자존감, 3. 스피치 멘탈, 4. 스피치 습관, 5. 스피치 행복, 6. 스피치 자기계발, 7. 스피치 코칭]와 Body(몸) 스피치, Head(머리) 스피치, Mind(마음) 스피치를 꾸준히 학습, 연습, 훈련 했을 때 나온다.

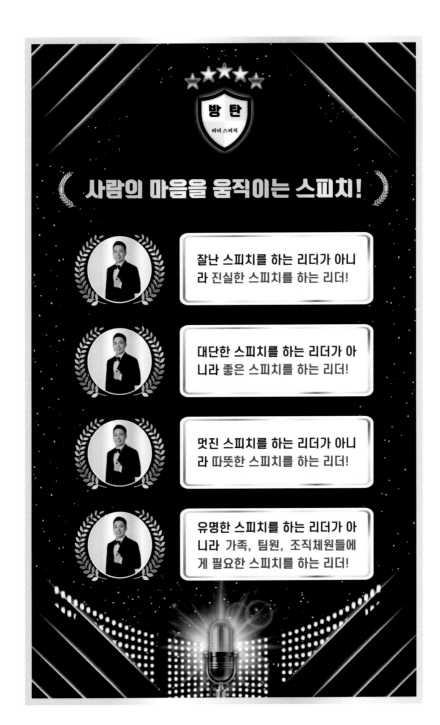

사람의 마음을 움직이는 스피치!

잘난 스피치를 하는 리더가 아니라 진실한 스피치를 하는 리더!

대단한 스피치를 하는 리더가 아니라 좋은 스피치를 하는 리더!

멋진 스피치를 하는 리더가 아니라 따뜻한 스피치를 하는 리더!

유명한 스피치를 하는 리더가 아니라 가족, 팀원, 조직체원들에게 필요한 스피치를 하는 리더!

- Body(몸) 스피치, Head(머리) 스피치, Mind(마음) 스피치 학습, 연습, 훈련 하는 방법 320가지!

Body(몸) 스피치, 몸이 건강하지 않으면 건강한 스피치가 나오지 않는다.

세상에서 가장 중요한 것이 건강이다. 누구나 알지만 아무나 몸이 자신에게 말하는 것을 듣지 못한다. 몸이 아프다는 것은 몸이 자신에게 말을 하는 것이다. 평상시에 몸 관리를 신경 쓰고, 먹고 싶은 거, 좋아하는 음식(대부분 달고 짜고 자극적인 음식)이기에 절제 좀 하라는 몸이 나에게 말하는 신호다. 혀가 좋아하는 음식은 몸이 싫어하고 몸이 좋아하는 음식은 혀가 싫어한다. 혀가 좋아하는 음식을 줄일 때 몸이 말하는 것이 잘 들린다. 필자가 하고 있는 Body(몸) 스피치 학습, 연습, 훈련하는 방법 320가지 참고하자.

Head(머리) 스피치, 머리에 든 지식이 없으면 깡통 스피치가 나온다.

입은 출력하는 곳이라면 머리는 저장하는 곳이다. 한 마디로 지혜, 지식, 정보, 상식, 삼성(진정성, 전문성, 신뢰성), 목표, 방향, 이루고 싶은 것, 꿈, 비전, 인간관계, 사랑, 사람 심리... 등이 머리에 많은 데이터가 저장 되어 있지 않으면 입에서 나오는 스피치는 자신, 사람들에게

소음밖에 되지 않는다. 필자의 Head(머리) 스피치 학습, 연습, 훈련하는 방법 320가지 참고하자.

Mind(마음) 스피치, 마음이 우울하면 우울한 스피치가 나온다.

트라우마, 콤플렉스, 가족에 대한 상처, 부모에 대한 상처, 사랑의 상처, 인간관계 상처, 낮은 자존감으로 인한 자격지심, 낮은 멘탈로 인한 열등감, 우울함... 등 마인드 컨트롤이 되지 않아 나오는 스피치는 만나는 사람들에게도 감정 전이, 감정 전염이 되어 우울한 스피치가 나온다. 필자의 Mind(마음) 스피치 학습, 연습, 훈련하는 방법 320가지 참고하자.

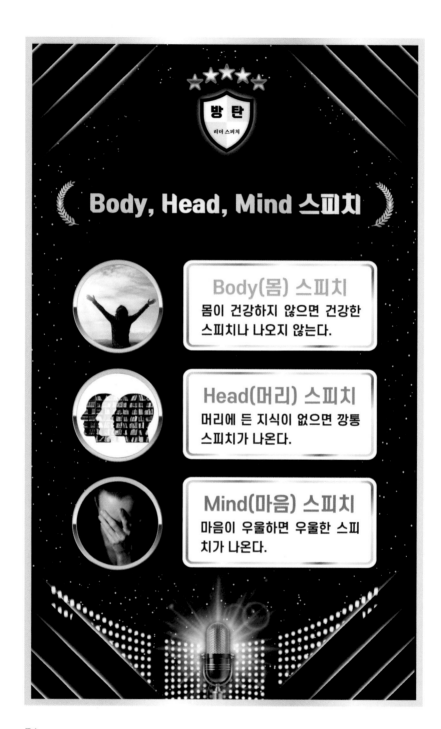

Body, Head, Mind 스피치

Body(몸) 스피치
몸이 건강하지 않으면 건강한 스피치나 나오지 않는다.

Head(머리) 스피치
머리에 든 지식이 없으면 깡통 스피치가 나온다.

Mind(마음) 스피치
마음이 우울하면 우울한 스피치가 나온다.

♥ 최보규 방탄리더스피치 전문가의 몸 스피치, 머리 스피치, 마음 스피치 학습, 연습, 훈련 하는 방법 320가지!

1. 전신 장기기증
2. 유서 써놓기
3. 꿈 목표 설정
4. 영양제 챙기기
5. 꿀 챙기기
6. 계단 이용
7. 8시간 숙면
8. 취침 4시간 전 안 먹기
9. 기상 후, 자기 전 스트레칭 10분
10. 술, 담배 안 하기
11. 하루 운동 30분
12. 밀가루 기름진 음식 줄이기
13. 자극적인 음식 줄이기
14. 얼굴 눈 스트레칭
15. 박장대소 하루 2회
16. 기상 직후 양치질 물먹기
17. 물 7잔 마시기
18. 밥 먹는 중 물 조금만
19. 국물 줄이기
20. 밥 먹고 30후 커피 마시기
21. 기상 직후 책 듣기

22. 한 달 책 15권 보기

23. 책 메모하기

24. 메모 ppt 만들기

25. SNS 캡처 자료수집

26. 강의 자료 항상 찾기

27. 좋은 글 점심때 보내기

28. 사랑의 전화 봉사

29. 주말 유치원 봉사

30. 지인 상담봉사

31. 강의 재능기부

32. 사랑의 전화 후원

33. 강의자료 주기

34. TV 줄이기

35. 부정적인 뉴스 줄이기

36. 솔선수범하기

37. 지인들 선물 챙기기

38. 한 달 한번 등산

39. 몸에 무리 가는 행동 안 하기

40. 하루 감사 기도 마무리

41. 탄산음료, 과일주스 줄이기

42. 아침 유산균 챙기기

43. 고자세

44. 스마트폰 소독 2번

45. 게임 안 하기

46. SNS 도움 되는 것 공유

47. 전단지 받기

48. 긍정, 멘탈 사용설명서 도구 스티커 나눠주기

49. 학습자 선물 주기

50. 강의 피드백 해주기

51. 자일리톨 원석 먹기 하루 3개

52. 찬물 줄이고 물 미온수 먹기

100. 소금물 가글

54. 알람 듣고 바로 일어나기

55. 오전 10시 이후 커피 먹기

56. 믹스커피 안 먹기

57. 강의 족보 주기

58. 강의 동영상 주기

59. 강의 녹음파일 주기

60. 블로그 좋은 글 나누기

61. 인스턴트 음식 줄이기

62. 아이스크림 줄이기

63. 빨리 걷기

64. 배워서 남 주자 실천(PPT)

65. 읽어서 남 주자 실천(책 속의 글)

66. 오른손으로 차 문 열기

67. 오손도손 오손 왼손 캠페인 전파하기

68. 운전 중 스마트폰 안 보기

69. 취침 전 30분 독서

70. 취침 전 30분 스마트폰 안 보기

71. 오늘이 마지막인 것처럼 섬기고 영원히 살 것처럼 배우기

72. 자존심 신발장에 넣어 두고 나오기

73. 내가 받은 상처는 모래에 새기고 내가 받은 은혜는 대리석에 새기기

74. 어제의 나와 비교하기

75. 어제 보다 0.1% 성장하기

76. 세상에서 가장 중요한 스펙? 건강, 태도 실천하기

77. 나방이 되지 않기

78. 마라톤 10주 프로그램 시작

79. 마라톤 5km 도전

80. 마라톤 10km 도전

81. 마라톤 하프 도전

82. 마라톤 풀코스 도전

83. 자기 전 5분 명상

84. 뱃살 스트레칭 3분

85. 아침 동기부여 사진 보내기 8시

86. 저녁 동기부여 사진 보내기 9시

87. 나의 1%는 누군가에게는 100%가 될 수 있다. 실천

88. 150세까지 지금 몸매, 몸 상태 유지 관리

89. 아침 달걀 먹기

90. 운동 후 달걀 먹기

91. 헬스장 등록

92. 오래 살기 위해서가 아니라 옳게 살기 위해 노력하는 사람이 되자

93. 남들이 하는 거 안 하기 남들이 안 하는 거 하기

94. 아침 결명자차 마시기

95. 저녁 결명자차 마시기

96. 폼롤러 스트레칭

97. 어제보다 나은 내가 되자

98. 남들이 안 하는 강의 분야 도전

99. 플랭크 운동

100. 스쿼터 운동

101. 계산할 때 양손으로 주고받고 인사

102. 명함 거울 선물 주기

103. 40살 되기 전 책 출간

104. 반 100년 되기 전 책 5권 집필하기

105. 유튜브[나다운TV] 강사심폐소생술

106. 유튜브[나다운TV] 나다운심폐소생술

107. 아.원.때.시.후.성.실 말 줄이기

108. 나다운 강사 책 유튜브 올려 함께 잘 되기

109. 리플렛으로 동기부여 시켜주기

110. 아침 8시 동기부여 메시지 만들어 보내기

111. 저녁 9시 동기부여 메시지 만들어 보내기

112. 어플 책 속의 한 줄에 책 내용 올리기

113. 책 내용 SNS 오픈

114. 3번째 책 원고 작업 시작

115. 4번째 책 자료수집

116. 뱃살관리 스트레칭 아침, 저녁 5분

117. 3번째 책 기획출판계약

118. 최보규강사사관학교 시작

119. 최보규강사사관학교 지회 원장 임명

120. 올 노(올바른 노력)공식 오픈

121. 행복, 방탄멘탈 공식 자자자자멘습궁 오픈

122. 생화 네 잎 클로버 선물 주기

123. 세바시를 통해 극단적인선택 예방 전파!

124. 세바시를 통해 자자자자멘습궁 사용설명서 전파!

125. 4번째 책 원고 시작 2021년 1월 출간 목표!

126. 전염성이 강한 상황 왔을 때 대처하기 위한 준비!

127. 코로나19 극복을 위한 공적 마스크 독고 어르신들
주기!

128. 아내를 위해 앉아서 소변보기

129. 들어라 하지 말고 듣게 하자

130. 좋은 사람이 되지 말고 좋은 사람 되어주자.

131. 좋아하게 하지 말고 좋아지게 하자

132. 보여주는(인기)인생을 사는 것보다 보여지는(인

정)인생을 살아가자.

133. 나 이런 사람이야 말하지 않아도 이런 사람이구나 느끼게 하자.

134. 마음을 얻으려 하지 말고 마음을 열게 하자.

135. 믿으라 하지 말고 믿게 하자

136. 나에 행복 0순위는 아내의 행복이다! 일어나서 자기 전까지 모든 것 아내에게 집중!

137. 아내 말을 잘 듣자! 하는 일이 잘 된다!

138. 아버지가 어머니에게 이렇게 대했으면 하는 남편이 되겠습니다. 매형들이 누나들에게 이렇게 대했으면 하는 남편이 되겠습니다.

139. 내 몸은 아내거다. 빌려 쓰는 거다! 담배, 술, 몸에 무리가 가는 모든 것 자제 하고 건강관리, 자기관리 하겠습니다.

140. 아내의 은혜를 보답하기 위해 머리, 가슴, 몸, 돈으로 실천하겠습니다!

141. 아내에게 받은 사랑(내조) 보답하기 위해 머리, 가슴, 몸, 돈으로 실천하겠습니다.

142. 아내를 몸, 마음, 돈으로 평생 웃게 해서 호강시켜 주겠습니다.

143. 아내를 존경하겠습니다. 세상에 아내 같은 여자 없습니다.

144. 아내 빼고는 모든 여자는 공룡이다! 정신으로 살겠

습니다.

145. 많은 사람들에게 인정받는 남편이 아닌 아내에게 인정받는 남편이 되기 위해 먼저 맞춰가는 남편이 되겠습니다.

146. 아내에게 무조건 지겠습니다.
    이기려 하지 않겠습니다. 아내 앞에서는 나직성자체를 내려놓겠습니다. (나이, 직급, 성별, 자존심, 체면)

147. 지저분한 것(음식물 쓰레기, 화장실 청소)다 하겠습니다.

148. 함께하는 한 가지를 위해 개인 생활 10가지를 감수하겠습니다.

149. 최강자 학습지 시작 (최보규의 강사학습지, 자기계발학습지)

150. 홈코 시작(집에서 화상 1:1 케어)

151. 불자의 인생 시작

152. 나는 복덩어리다. 나는 운이 좋은 사람이다.

1100. 베스트셀러 3권 달성 노하우 책쓰기 교육 시작

154. 유튜브, 유튜버 100년 하는 노하우 교육 시작

155. 방탄멘탈마스터 양성 시작

156. 나다운 방탄멘탈 책으로 극단적인 선택 줄이기

157. 아침 8시, 저녁 9시 방탄멘탈공식 SNS 공유

158. 5번째 책 2022년 나다운 방탄사랑

159. 2023 나다운 방탄멘탈 2

160. 2024 나다운 책 쓰기(100년 가는 책)

161. 2025 유튜버가 아니라 나튜버
     (100년 가는 나튜버)

162. 2026 나다운 강사3(Q&A)

163. 2027 나다운 명언

164. 2029 나다운 인생(50살 자서전)

165. 줌 화상 기법 강의, 코칭(최보규줌사관학교)

166. 언택트(비대면)시대에 맞게 아날로그 방식 80%를
     디지털 방식 80%로 체인지

167. 변기 뚜껑 닫고 물 내리기

168. 빨래개기

169. 요리하기, 요리책 내기 위한 자료 수집

170. 화장실 물기 제거

171. 부엌 청소, 집 청소, 화장실 청소

172. 사랑해 100번 표현하기

173. 아내에게 하루 마무리 안마 5분 해주기

174. 헌혈 2달에 1번

175. 헌혈증 기부

176. 네 번째 책 행복 히어로 책 출간

177. 극단적인 선택률, 이혼율 낮추기 위한 교육 시작

178. 행복률 높이기 위한 교육 시작

179. 다섯 번째 책 원고 작업 시작

180. 여섯 번째 책 자료 수집

181. 운전 중 양보 해 줄 때, 받을 때 목례로 인사하기.

182. 다섯 번째 책 나다운 방탄습관블록 출간

183. 습관사관학교 시스템 완성

184. 습관 코칭, 교육 시작

185. 아침 8시, 저녁 9시 습관 메시지 sns 공유

186. 습관 전문가 되어 무료 케어 상담 시작

187. 습관 콘텐츠 유튜브<행복히어로>에 무료 오픈

188. 여섯 번째 책 원고 작업 시작

189. 최보규상(대한민국 노벨상) 버킷리스트 설정

190. 2037년까지 운영진, 자금(상금), 시스템 완성 목표 설정

191. 최보규상을 1,000년 동안 유지하기 위한 공부

192. 일곱 번째 자존감 책 원고 작업

193. 여덟 번째 책 쓰기 책 자료 수집, 공부

194. 앉아서 일할 때 50분의 한번 건강 타이머 누르기

195. 세계 최초 자기계발쇼핑몰
(www.자기계발아마존.com)

196. 온라인 건물주 분양 시작
(월세, 연금성 소득 올릴 수 있는 시스템)

197. 일곱, 여덟 번째 책 축간
(나다운 방탄자존감 명언 Ⅰ,Ⅱ)

198. 자기계발코칭전문가 1급, 2급 자격증 교육 시작

199. 방탄자기계발사관학교 Ⅰ,Ⅱ,Ⅲ,Ⅳ 4권 출간

200. 2021년 목표였던 9권 책 출간 달성!

201. 하루 3번 호흡 스펙 습관 쌓기 시작

    (코 8초 마시고, 5초 멈추고, 입으로 8초 내뱉기)

202. 장모님께 출간 한 책 12권 드리기

203. 2022년 최보규의 책 쓰기9 원고 작업 시작

204. 100만 프리랜서들 도움주기 위한 프로젝트 시작

205. 방탄 자존감 코칭 기술

206. 방탄 자신감 코칭 기술

207. 방탄 자기관리 코칭 기술

208. 방탄 자기계발 코칭 기술

209. 방탄 멘탈 코칭 기술

210. 방탄 습관 코칭 기술

211. 방탄 긍정 코칭 기술

212. 방탄 행복 코칭 기술

213. 방탄 동기부여 코칭 기술

214. 방탄 정신교육 코칭 기술

215. 꿈 코칭 기술

216. 목표 코칭 기술

217. 방탄 강사 코칭 기술

218. 방탄 강의 코칭 기술

219. 파워포인트 코칭 기술

220. 강사 트레이닝 코칭 기술

221. 강사 스킬UP 코칭 기술

222. 강사 인성, 멘탈 코칭 기술

223. 강사 습관 코칭 기술

224. 강사 자기계발 코칭 기술

225. 강사 자기관리 코칭 기술

226. 강사 양성 코칭 기술

227. 강사 양성 과정 코칭 기술

228. 퍼스널브랜딩 코칭 기술

229. 방탄 리더십 코칭 기술

230. 방탄 인간관계 코칭 기술

231. 방탄 인성 코칭 기술

232. 방탄 사랑 코칭 기술

233. 스트레스 해소 코칭 기술

234. 힐링, 웃음, FUN 코칭 기술

235. 마인드컨트롤 코칭 기술

236. 사명감 코칭 기술

237. 신념, 열정 코칭 기술

238. 팀워크 코칭 기술

239. 협동, 협업 코칭 기술

240. 버킷리스트 코칭 기술

241. 종이책 쓰기 코칭 기술

242. PDF 책 쓰기 코칭 기술

243. PPT로 책 출간 코칭 기술

244. 자격증 교육 커리큘럼으로 책 출간 코칭 기술

245. 자격증 교육 커리큘럼으로 영상 제작 코칭 기술

246. 책으로 디지털콘텐츠 제작 코칭 기술

247. 책으로 온라인 콘텐츠 제작 코칭 기술

248. 책으로 네이버 인물 등록 코칭 기술

249. 책으로 강의 교안 제작 코칭 기술

250. 책으로 민간 자격증 만드는 코칭 기술

251. 책으로 자격증 과정 8시간 제작 코칭 기술

252. 책으로 유튜브 콘텐츠 제작 코칭 기술

2100. 유튜브 시작 코칭 기술

254. 유튜브 자존감 코칭 기술

255. 유튜브 멘탈 코칭 기술

256. 유튜브 습관 코칭 기술

257. 유튜브 목표, 방향 코칭 기술

258. 유튜브 동기부여 코칭 기술

259. 유튜브가 아닌 나튜브 코칭 기술

260. 유튜브 영상 제작 코칭 기술

261. 유튜브 영상 편집 코칭 기술

262. 유튜브 울렁증 극복 코칭 기술

263. 유튜브 썸네일 디자인 제작 코칭 기술

264. 유튜브 콘텐츠 제작 코칭 기술

265. 유튜브 수입 연결 제작 코칭 기술

266. 유튜브 영상 홍보 코칭 기술

267. 홈페이지 무인시스템 연결 제작 코칭 기술
268. 홈페이지 자동 결제 시스템 제작 코칭 기술
269. 홈페이지 비메오 연결 제작 코칭 기술
270. 홈페이지 렌탈 시스템 제작 코칭 기술
271. 홈페이지 디자인 제작 코칭 기술
272. 홈페이지 제작 코칭 기술
273. 재능마켓 크몽 PDF 입점 코칭 기술
274. 재능마켓 크몽 강의 입점 코칭 기술
275. 재능마켓 크몽 이미지 디자인 제작 코칭 기술
276. 재능마켓 크몽 입점 영상 제작 코칭 기술
277. 재능마켓 크몽 입점 영상 편집 코칭 기술
278. 재능마켓 크몽 VOD 입점 코칭 기술
279. 클래스101 영상 입점 코칭 기술
280. 클래스101 PDF 입점 코칭 기술
281. 클래스101 이미지 디자인 제작 코칭 기술
282. 클래스101 영상 제작 코칭 기술
283. 클래스101 영상 편집 코칭 기술
284. 탈잉 영상 입점 코칭 기술
285. 탈잉 PDF 입점 코칭 기술
286. 탈잉 이미지 디자인 제작 코칭 기술
287. 탈잉 영상 제작 코칭 기술
288. 탈잉영상 편집 코칭 기술
289. 탈잉 VOD 입점 코칭 기술

290. 클래스U 영상 입점 코칭 기술

291. 클래스U 영상 제작 코칭 기술

292. 클래스U 영상 편집 코칭 기술

293. 클래스U 이미지 디자인 제작 코칭 기술

294. 클래스U 커리큘럼 제작 코칭 기술

295. 인클 입점 코칭 기술

296. 자신 분야 콘텐츠 제작 코칭 기술

297. 자신 분야 콘텐츠 컨설팅 코칭 기술

298. 자기계발코칭전문가 1시간 ~ 1년 코칭 기술

299. 강사코칭전문가, 리더십코칭전문가 1시간 ~ 1년 코칭 기술

300. 온라인 건물주 되는 코칭 기술

301. 강사 1:1 코칭기법 코칭 기술

302. 전문 분야 있는 사람 1:1 코칭 기법 코칭 기술

303. CEO, 대표, 리더, 협회장 품위유지의무 코칭 기술

304. 은퇴 준비 코칭 기술

305. 2023년 나다운 방탄리더십 1, 2, 3, 4, 5 출간

306. 나다운 방탄리더십 아침, 저녁 메시지 시작

307. 강사코칭전문가 자격증 시스템 시작

308. 방탄 리더십 원고 작업 시작

309. 방탄 리더 자존감 원고 작업 시작

310. 방탄 리더 멘탈 원고 작업 시작

311. 방탄 리더 습관 원고 작업 시작

작은 일도 무시하지 않고 최선을 다해야 한다.
작은 일에도 최선을 다하면 정성스럽게 된다.
정성스럽게 되면 겉에 배어 나오고
겉에 배어 나오면 겉으로 드러나고
겉으로 드러나면 이내 밝아지고
밝아지면 남을 감동시키고
남을 감동시키면 이내 변하게 되고 변하면 생육 된다.
그러니 오직 세상에서 지극히 정성을 다하는 사람만이
나와 세상을 변하게 할 수 있는 것이다.
<중용 23장>

자동차가 움직이기 위해서는 2만~3만 개의 부품들이 조합을 이루어서 움직이게 되고 손목시계는 100개~200개 부품이 모여 움직이며 스마트폰은 50개~100개 부품이 모여 움직이듯이 필자는 Body(몸) 스피치, Head(머리) 스피치, Mind(마음) 스피치 학습, 연습, 훈련하는 방법 320가지가 모여서 세상 어느 누구도 흉내 낼 수 없는 최보규 다운 Body(몸) 스피치, Head(머리) 스피치, Mind(마음) 스피치가 나오는 것이다.

나다운 스피치, 진심 스피치가 나올 때 모든 사람들의 살아가는 이유인 행복한 인생(나다운 인생)을 살 수 있는 것이다.

스피치 이론, 방법, 공식보다 선행 되어야 할 것이 왜 Body(몸) 스피치, Head(머리) 스피치, Mind(마음) 스피치 학습, 연습, 훈련인지를 깨닫게 해주는 스토리텔링이다.

미국 대통령 4명의 스피치 멘탈 관리법!

여기 있는 토니 로빈스의 세미나는 전 세계에서 가장 인기 있는 세미나죠. "50시간짜리 강의에요." "하지만 오늘 5분간 짧게 설명해볼게요." 그리고 토니가 여러분을 인생을 새롭게 바꿀 겁니다. 제가 오늘 부탁하는 건 50시간의 강의의 지혜를 5분에 줄여서 해주세요.

토니 로빈슨은 세계에서 가장 유명한 연설가입니다. 많은 유명인들의 멘토링과 지금까지 네 명의 미국 대통령이 멘토링도 했었죠. <life mastery institute>이라는 그의 세미나 가격은 1,500만 원 ~ 5,000만 원이며 세미나 참석 전 참가자 심사까지 한다고 하는데요. 그의 세미나 중 '부정적인 생각을 2분 만에 떨쳐내는 방법' 대해 설명합니다. 집중하세요.

2분 동안 여러분께 간단한 컨셉에 대해서 먼저 설명해줄게요. 모두는 목표를 가지고 있죠. 여러분들이 노력하는 무언가요. 그 새로운 결과를 얻으려면 당연히 새로운 행동을 해야 합니다. 모두 아는 사실이죠. 행동이 같은데 새로운 결과는 안 나타나니까요. 같은 결과만 나오겠죠. 인간이 할 수 있는 것들은 정말 대단한데도 대부분의 사람은 형편없는 행동만 해요. 능력이 부족한 게 아니라 새로운 행동을 안 하기 때문이에요. 그 이유는 우리의 감정상태 때문입니다. 감정에 지배당하는 거죠. 조바심이 나고 실패한 것 같은 감정들요. 하지만 당신이 두려움의 감정을 느낄 때 두려움은 행동에 보여지고 결과로 나타납니다. 그래서 인생을 바꾸는 가장 중요한 방법은 결과를 바꾸는 것인데 결과를 바꾸려면 행동을 바꾸어야 하고 행동을 바꾸려면 감정 상태를 바꿔야 합니다.
자 그럼 어떻게 바꿀까요? 이미 감정에 사로잡히거나 압도당한 상태에서요.

'제가 세계 최고 운동선수들 4명의 미국 대통령에게도 가르친 방법이에요. 억만장자 고객들도 배웠습니다.'

감정 상태를 바꾸는 것은 생각만으로 되는 게 아니에요. 나는 행복하다를 반복한다고 되는 게 아니에요. 당신의 뇌가 거짓인 걸 이미 알고 있으니까요. 그렇기에 우리가 해야 하는 것은 근본적인 변화입니다. 몸을 이용해 생리학적으로 접근할게요. 어려워 보이지만 그냥 몸을 이용한다는 거예요. 움직이는 템포를 바꿔요. 어깨를 당당히 펴고 숨을 더 고르게 쉬세요. 움직임을 생동감 있게 하고 말도 좀 빠르게 한다면 이 행동들이 당신 몸 안에서 화학작용을 만들어냅니다. 그리고 새로운 감정 상태에 접어들어 완전히 다른 행동을 이끌어내게 됩니다. 저는 40년 넘게 이걸 가르쳤어요. 그리고 3년 전에 하버드에서 과학적으로도 입증이 되었죠. 그리고 '파워 포지션'이라고 이름 지었죠. 정말 간단합니다. 양손을 허리에 올리세요. 원더우먼이나 슈퍼맨처럼요. 이렇게 선 상태에서 숨을 깊게 쉬세요. 단 2분 동안 만요. 이 행동의 과학적 결과는 당신은 2분 안에 무조건 테스토스테론(자신감 호르몬)이 20% 증가하고 남녀 모두 포함입니다. 그리고 당신의 몸안의 스트레스 호르몬인 코르티솔은 22% 감소합니다. 그리고 두려움에 사로잡혀서 하려고 하지 않던 새로운 행동을 할 가능성이 33% 증가합니다. 만약 당신이 앉아있다면 머리에 깍지를 끼고 다리를 올려놓는 행동도 같은 효과를 일으켜요. 이 행동들이 당신에게 확신과 자신감을 주기 때문입니다. 그리고 그 자신감이 새로운 행동을 하게 하는 거죠.

앞서 보신 방법은 조던 피더슨의 책 《인생의 12가지 법칙》에서도 첫 번째 챕터로 나오는 부분입니다. '어깨를 펴고 똑바로 서라.' 자신감 있는 자세가 끼치는 영향은 인간뿐 아니라 동물들에게도 같은 결과를 불러옵니다. 두 번째 방법은 마인드에 관한 방법입니다.

당신이 언제라도 당신이 가장 힘들다고 생각할 때 부모님이 아프시거나 사업이 안 되고 연인관계 문제 혹은 불안하고 초초할 때 당신은 두려움의 감정 상태에 들어가게 됩니다.
나쁜 행동을 만들고 엉망인 결과를 불러오죠. 그 결과를 뇌는 이렇게 받아들이죠. "내가 말했지 너 못한다고."

그렇게 부정적인 늪에 빠지는 거죠. 이 상태를 벗어나는 방법은 자신에게 새로운 질문을 하는 겁니다. 제 질문을 곰곰이 생각해보세요. 무엇이 인생에서 가장 자랑스럽나요? 당신이 느끼는 가장 자랑스러운 것에 집중해보세요.

여러분의 아이들 가족 혹은 성취한 것들 말이죠. 가짜 아닌 진심에서 우러나오는 자랑스러움이요. 누구라도 하나쯤은 있잖아요. 자 그럼 이제 눈을 감고 그 기분에 집중하세요. 당신이 자랑스러운 그 느낌요. 그리고 그때의 기분을 다시 느껴보세요. 그때처럼 숨을 쉬어보세요. 여유 있게! 그리고 마치 기분 좋은 아이처럼 기쁜 감정을 숨기지 말고 웃음 짓는 거예요. 자 이번엔 당신이 감사한 것에 대해 집중해보세요. 혹은 당신의 가슴을 뛰게 하는 일을요. 사람 혹은 특정 순간들 아니면 원하는 것을 말이죠. 그 감정에 집중해보세요. 눈을 감고 그 감정에 집중하는 거예요. 가슴 뛰게 하는 것에 말이죠.

그리고 그게 일어난 것처럼 느껴보세요. 건강이 되찾아지고 사업이 번창하고 연인관계 회복, 두려움을 극복하는 것을요. 그렇게 인생을 온전히 바뀜을 느끼고 그 느낌대로 숨을 뱉어보세요. 그리고 그 기분을 소리쳐보세요. "오 예! 와우! 오오오오오! 해보자! 해보자! 파이팅! 좋았어!" 이 방법으로 감정 상태를 바꾸세요. 좋은 것에 집중하고 움직임을 바꾸는 거죠. 제 마지막 질문입니다. 여러분이 원하는 것에 집중한다면 보장된 건 아니지만 엄청난 가능성이 존재해요. 그러니 가능성을 늘려가세요. 감정 상태를 바꾸면서요. 그게 제 세미나의 핵심이에요. "몸과 마인드를 바꿔 가는 방법이었습니다."

밤하늘에 뜬 별들이 더 멋지고 소중한 이유는 별들을 감싸고 있는 어둠 때문이라는 말이 있습니다. 마찬가지로 필연적으로 느끼게 되는 부정적인 생각들과 상황들이 각자의 꿈을 더 빛나게 해주는 어둠 같은 존재 같습니다. 이 방법들이 여러분의 인생에 어둠이 찾아왔을 때 마음가짐을 바꿀 수 있는데 사용되기를 바랍니다.
<유튜브 터닝포인트 - 위대한 성공의 시작점>

간단히 정리를 해보겠다. 결과를 바꾸려면, 결과를 내려면 먼저 행동을 바꿔야한다. 그래야 감정 상태가 바뀌어 원하는 결과를 만들 수 있다. 긍정적인 생각만으로 안되기에 과학적으로 증명된 원더 우먼 자세, 슈퍼맨 자세 '파워 포지션'을 2분 동안 평상시 꾸준히 하면 자신감 호르몬이 상승하고 스트레스가 내려가서 부정적인 감정이 컨트롤이 되어 하는 일을 더 집중하게 되서 목표한 것을 이루게 된다.

토니 로빈스가 말한 미국 대통령 4명의 스피치 멘탈 관리법, 몸과 마인드를 바꿔 가는 방법을 간단명료하게 초등학생도 알아들을 수 있는 방법이 필자가 하고 있는 "Body(몸) 스피치, Head(머리) 스피치, Mind(마음) 스피치 학습, 연습, 훈련하는 방법 320가지"라는 것이다. [320가지 안에 방탄 리더 스피치, 방탄리더십, 스피치 자존감, 스피치 멘탈, 스피치 습관, 스피치 행복, 스피치 자기계발, 스피치 코칭을 생활 속에서 실천할 수 있는 방법이 포함되어 있다.]

그런데 아이러니 하게도 아무리 하버드대학에서 과학적으로 증명을 하고 1,500만 원 ~ 5,000만 원 가치가 있는 성공자의 노하우일지라도 2분 동안 원더 우먼 자세, 슈퍼맨 자세 '파워 포지션'을 90%의 사람들은 꾸준히 하지 않는다. 또한 토니 로빈스가 말하는 방법을 간단히 정리한 필자의("Body(몸) 스피치, Head(머리) 스피치, Mind(마음) 스피치 학습, 연습, 훈련하는 방법 320가지")방법일지라도 90%의 사람들은 따라 하지 않는다. 왜 그런지 아는가?

20,000명 심리 상담, 코칭 하면서 알게 된 것은 대가지불이 많을수록 사람의 심리인 '본전 정신'이 생겨 동기부여, 행동, 실천이 잘 되는데 유튜브 영상 5분(대가지불 강도 -10,000)보고 지금 보고 있는 책값만큼만 대가지불을 하니 바로 행동을 못하는 게 당연하다.

토니 로빈스의 세미나 가격인 1,500만 원 ~ 5,000만 원을 지불 하고 직접 가서 들었다면 본전 뽑기 위해서 어떻게든 실천했을 것이다. 돈이 어마어마하게 들어가야만 동기부여, 행동, 실천이 잘 되는 건 아니지만 결과를 만들고 변화, 성장하고 실천하는 사람들은 가치가 있는 것에 과감하게 금전적인 대가 지불을 무조건 한다는 것을 명심하자!

동기부여, 행동, 실천을 잘 할 수 있는 유일한 방법은 꾸준하게 전문가의 A/S, 피드백, 관리를 받는 것이다. 그래서 동기부여, 행동, 실천이 잘 안 되는 사람들을 위해서 최보규 방탄자기계발 전문가의 코칭을 받는 사람들은 세계 최초로 150년 A/S, 피드백, 관리를 해준다는 것이다. 지금 당장 상담받아라!

www.방탄자기계발사관학교.com

"때론 감정, 표정, 행동이 말보다 더 말을 한다."
"때론 Body(몸) 스피치, Head(머리) 스피치, Mind(마음) 스피치가 말보다 더 말을 한다."

리더의 스피치에서
삼성(진정성, 전문성, 신뢰성)이 느껴지지 않으면... 자존감이 낮은 스피치를 하면... 멘탈이 낮은 스피치는를 하면... 안 좋은 스피치 습관이 있으면... 행복을 느끼지 못

하는 스피치를 하면... 리더가 스피치 자기계발을 하지 못하면... 인재 양성 코칭 스피치 매뉴얼, 시스템이 없다 면... 리더가 어떻게 살았는지 앞으로 인생을 어떻게 살 아갈지 알게 해준다.

방탄 리더 스피치 7단계와 Body(몸) 스피치, Head(머리) 스피치, Mind(마음) 스피치 학습, 연습, 훈련은 살아온 날로 살아갈 날 단정 짓지 않게 하고 "지금 처럼이 아닌 지금부터"라는 태도로 때를 기다리는 리더가 아닌 때를 만들어 가는 리더로 변화가 아닌 진화를 시켜준다. 방탄 리더 스피치 7단계와 Body(몸) 스피치, Head(머리) 스피치, Mind(마음) 스피치는 스펙이다. 꾸준히 학습, 연습, 훈련을 통해 익히는 것이다.

세계에서 방탄 리더 스피치 학습, 연습, 훈련 하는 곳은 www.방탄자기계발사관학교.com 뿐이다.

방탄 리더 스피치

"때론 감정, 표정, 행동이 말보다 더 말을 한다."
"때론 Body(몸) 스피치, Head(머리) 스피치,
Mind(마음) 스피치가 말보다 더 말을 한다."

리더의 스피치에서
삼성(진정성, 전문성, 신뢰성)이 느껴지지 않으면...
자존감이 낮은 스피치를 하면...
멘탈이 낮은 스피치는를 하면...
안 좋은 스피치 습관이 있으면...
행복을 느끼지 못하는 스피치를 하면...
리더가 스피치 자기계발을 하지 못하면...
인재 양성 코칭 스피치 매뉴얼, 시스템이 없다면...
리더가 어떻게 살았는지
앞으로 인생을 어떻게 살아갈지 알게 해준다.

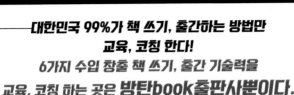

대한민국 99%가 책 쓰기, 출간하는 방법만
교육, 코칭 한다!
6가지 수입 창출 책 쓰기, 출간 기술력을
교육, 코칭 하는 곳은 **방탄book출판사**뿐이다.

방법만 배우면 평생
몸을 움직여서 돈을 벌어야 하지만
방탄book기술력을 배우면 움직이지
않아도 돈을 벌수 있는 자동 시스템을 만든다.

– 리더의 스피치는 10초 안에 결정 난다?

"리더는 강사처럼 말, 표정, 행동을 할 수도 있어야 한다."가 아니라 무조건 강사처럼 말, 표정, 행동을 해야한다. 그래서 강사의 본질을 알고 배워야 한다. 왜 리더는 강사처럼 말, 표정, 행동을 해야 하는지 알게 해주는 과학적인 근거를 알려주겠다.

처음 만나는 사람에게 무의식적으로 일어나는 3단계 심리.

1단계 : 친구인가? 적인가? 이는 잠재의식 속에서 이뤄지는 점검

2단계 : 승자인가? 패자인가?

누군가를 처음 만날 때, 우리는 상대의 자신감을 재빨리 재본다. 이 사람이 지도자처럼 보이는지, 아니면 추종자처럼 보이는지

3단계 : 동맹인가? 적군인가?

상대를 내 편에 끌어당길지 결정한다. 우리의 뇌는 상대가 내 편이 되어줄 정도로 나에게 호의적인지를 알고 싶어 한다. 3가지 질문에 긍정적으로 답했을 때, 우리는 그 사람의 첫인상을 높이 평가하고 믿게 된다.

TED 강연 유명한 영상 2개를 가지고 실험.

사이먼 사이넥
<위대한 리더들이 행동을 이끌어내는 방법>
필즈 위커-미우린
<존재하지 않는 리더십 설명서로부터 배운 것>

두 강연은 각 영역에서 존경받는 리더들이다. 둘 다 18분 정도 영상, 큰 차이점이 생겼다. 사이넥 강연 250만 조회 수, 위커-미우린 강연 72만 조회 수 왜 이런 커다란 격차가 발생했을까?

그 격차를 알아보기 위한 실험 조회수는 비공개로 했다. 각 집단 별 7초만 시청하고 평가 기준은 신뢰성, 카리스마, 이해도, 퍼포먼스였다.
두 집단 실험 결과 별 차이 없이 사이넥 영상이 점수가 높았다!
높은 조회 수와 낮은 조회 수를 기록한 영상 간의 차이를 찾기 위해 수백 시간 테드 강연 분석했다.
손의 움직임 숫자로 기록, 목소리의 변화, 미소, 몸의 움직임.
첫인상을 좌우하는 것은 무엇을 말하는지가 아니라 어떻게 만드는지에 달려 있었다. 최고의 강연자들은 주제를 꺼내놓기도 전에 청중들과의 관계를 레벨업시킨다.

최고의 테드 강연자들이 사용한 비언어적 기술 3가지.
첫 번째 기술 두 손이 잘 보이게 드러내라.
인기 없는 강연자들은 손짓을 평균적으로 272번 사용.
인기 많은 강연자들은 손짓을 평균적으로 465번 사용.

사이먼 사이넥, 템플 그랜딘, 제인 맥고니걸
18분 동안 손짓을 600번 이상 사용! 이런 효과는 테드 강연자에게만 한정되는 것이 아닌 한 연구에 따르면 면접에서 더 많은 손짓을 사용한 구직자가 합격률이 높다고 합니다. 손짓은 왜 그토록 큰 영향력을 지녔을까? 우리는 손에서 의도를 읽기 때문이고 심리적으로 상대 손을 볼 때 편안해하고, 친근함을 느끼며, 스킨십(악수)을 하면 옥시토신 친밀함 호르몬이 만들어져서 신뢰를 더 얻게 한다!

비언어적인 방법으로 신뢰를 끌어내는 기술
첫 번째 손 제스처 많이 하고 손바닥을 많이 보여 주고 스킨십(악수)를 해라!

두 번째 승자처럼 보일 것, 승자를 사귈 것
카네기멜론대학교 연구. 전문가의 자신감은 그 사람의 명성이나 기술, 또는 경력보다 더 중요하다. 자신감은 왜 그렇게 중요한가? 인간의 심리는 끊임없이 승자를 찾기 때문에 승자가 우리 팀이길 바라고 승자와 인연 맺기를 좋아하며 승자가 우리를 이끌길 원한다! 사람의 심리는 승리와 패배를 널리 알리는 비언어적인 방법이 프로그램화 되어있다. 그래서 비언어적인 파워 포즈 자세를 취함으로써 상대방에게 신뢰를 더 줄 수 있다.

세 번째 인연을 시작하려면 눈을 맞추어라.
누군가가 신뢰할 만하고 승자라고 판단되면 3가지 질문으로 동맹 의지를 확인합니다. 이 사람이 나를 좋아하는가? 이 사람은 내 의견을 존중해줄까? 이 사람은 내 편이 되어 줄까? 최고의 테드 강연자들은 사랑이 넘치는 엄마가 자식을 대하듯 청중들을 대하고 존중을 하며 청중에게 말하는 것이 아니라 이야기를 나눈다.
《캣치》

리더는 많은 사람을 직접적으로 상대하는 위치다. 그래서 리더에게는 사람의 심리 공부는 필수다.

리더가 비언어적인 방법으로 신뢰를 끌어내기 위해서는 첫 번째 기술: 두 손 이 잘 보이게 드러내라(제스처, 손바닥, 스킨십, 악수) 두 번째 기술: 승자처럼 보일 것(파워포즈 원더우먼 자세, 출동자세) 세 번째 기술: 눈을 맞추어라. (믿음, 존중, 배려, 사랑하는 눈빛)

당신의 강의 능력 10초면 판단한다?

하버드 대학의 날리니 앰바디 교수는 대학생들을 상대로 처음 보는 교수의 호감도와 능력에 대해 평가하게 했다. 강의하는 교수의 모습이 담긴 비디오테이프를 10초간 보여준 뒤 학생들로 하여금 그 교수가 얼마나 잘 가르치는지, 또 얼마나 호감이 가는지를 평가하게 했다. 비디오테이프는 강의 내용을 들을 수 없도록 소리는 삭제한 상태였다.

이런 식으로 13명 교수들의 강의 능력이 평가되었다. 그런데 이들의 평가는 한 학기 동안 실제로 강의를 들었던 학생 수백 명의 평가와 거의 차이가 없었다. 더욱 놀라운 것은 10초짜리 비디오 영상을 5초, 혹은 2초까지 줄인 것을 보고 평가한 경우에도 10초짜리 비디오를 본 경우와 거의 차이가 없었다는 사실이다.

앰바디 교수는 비디오 영상을 통해 평가자들이 본 구체적인 비언어적 행위들이 무엇인가를 조사해보았다. 그 결과 손을 만지작거리는 것, 손으로 물건을 만지작거리는 것, 눈살을 찌푸리는 것, 몸을 앞으로 기울이는 것, 자꾸 바닥을 바라보는 것 등이 부정적 평가의 결정적 요인이었다. 반면에 고개를 끄덕이는 것, 활짝 웃는 것, 미소 짓는 것 등은 긍정적이고, 확신에 차 있고, 활기차고, 열정적이라는 느낌을 주었다. 이와 같은 긍정적인 태도를 보인 교수들에게 긍정적인 호감도와 유능감을 이끌어낸다는 것이다.

호감을 주면서 존중심도 불러일으키는 소통능력에는 말하기 방식, 표정이나 제스처 등 비언어적 행위들을 들 수 있다. 여기 연구에서 알 수 있는 것은 비언어적 행위들도 결정적인 역할을 한다는 것이다.

긍정적인 비언어적 행위는 미소, 자신감 있고 열정적인 태도, 긍정적 표정 등이다. 이 연구는 비언어적인 긍정적 정서의 습관화와 훈련이 중요함을 말해주고 있다.

《회복탄력성》

습관화와 훈련이 중요함을 다시 한번 강조해주는 스토리텔링이다. 위의 스토리텔링을 뒷받침해주는 메리비언의 법칙이 있다. 스피치에 관심 있는 사람이라면 귀가 아프도록 들었을 것이다.

그 어떤 방법, 공식, 법칙이든 30%만 벤치마킹하고 70%는 자신 경험, 시행착오 대가 지불, 인고의 시간이 필요하다는 것을 명심하자!

- 리더 스피치는 공식 30%, 스피치 습관 70%로 이루어진다.

다음은 스피치에서 가장 중요한 것이 무엇인지 깨닫게 해주는 메라비언의 법칙 설명 내용이다.

메라비언의 법칙
한 사람이 상대방으로부터 받는 이미지는 시각이 55%, 청각이 38%, 언어가 7%에 이른다는 법칙이다. 캘리포니아대학교 로스앤젤레스캠퍼스(UCLA) 심리학과 명예교수인 앨버트 메라비언(Albert Mehrabian)이 1971년에 출간한 저서 《Silent Messages》에 발표한 것으로, 커뮤니케이션 이론에서 중요시된다. 특히 짧은 시간에 좋은 이미지를 주어야 하는 직종의 사원교육으로 활용되는 이론이다.
시각이미지는 자세·용모와 복장·제스처 등 외적으로 보이는 부분을 말하며, 청각은 목소리의 톤이나 음색(音色)처럼 언어의 품질을 말하고, 언어는 말의 내용을 말한다. 이 이론에 따르면, 대화를 통하여 상대방에 대한 호감 또는 비호감을 느끼는 데에서 상대방이 하는 말의 내용이 차지하는 비중은 7%로 그 영향이 미미하다. 반면에 말을 할 때의 태도나 목소리 등 말의 내용과 직접적으로 관계가 없는 요소가 93%를 차지하여 상대방으로부터 받는 이미지를 좌우한다는 것이다.

<두산백과>

리더라면 조직체원들에게 무의식적으로 일어나는 3단계 심리(1단계: 친구인가? 적인가? 2단계: 승자인가? 패자인가? 3단계: 동맹인가? 적군인가?), 비언어적 기술 3가지(첫 번째 두 손이 잘 보이게 드러내라, 두 번째 승자처럼 보일 것, 세 번째 눈을 맞춰라), 메리비언의 법칙(시각 55%, 청각 38%, 언어 7%)은 선택이 아닌 필수로 학습, 연습, 훈련을 해야 한다. 리더가 왜 강사처럼 말, 표정, 행동을 해야 하는지 1,000% 감이 오는가?
리더 스피치는 들어라 스피치가 아니라 들게 하는 스피치가 되어야 한다? 들게 하는 스피치가 어떤 것일까? 진심 스피치, 나다운 스피치다. 진심, 나다운 스피치는 어떻게 나오는 것인가?

다음은 진심 스피치, 나다운 스피치, 사람들에게 들으라고 말하지 않아도 들게 하는 스피치가 무엇인지 깨닫게 하는 스토리텔링이다.

사람들은 어떤 스피치에 열광하는가?
여기 한 남자가 강단에 올라와 스피치를 시작합니다.
"제 아버지는 트럭 운전수였습니다. 트럭 운전수는 굉장히 힘들고 고된 직업이었습니다. 1960년 매우 춥던 한 겨울날 제 아버지는 일을 하다가 얼음 판 위에서 넘어졌습니다. 그래서 아버지는 다리와 엉덩이 뼈가 부러지는 부상을 입었죠. 1960년대 미국에서는 만약 당신이 교육도 받지 못한 노동자이고 일을 하다가 부상을 입으면 당신은 바로 해고를 당합니다. 그리고 바로 그 일이 아버지에게 일어난 거죠. 제가 일곱 살 때 집에 돌아와 보니 아버지는 엉덩이부터 발목까지 깁스를 하고 누워 계셨죠. 일자리도 없었고 건강 보험도 없었고 보상금도, 미래도 없이 말이죠. 저는 절대 상상해 본 적이 없었습니다.

공영 주택에서 살던 어린 꼬마인 제가 회사를 세우거나 운영할 거라고 말이죠. 하지만 저는 항상 트랙의 반대편에 있는 사람들에 대한 느낌이나 감정을 항상 가지고 있었습니다. 그래서 1987년에 저희가 회사를 시작했을 때, 스타벅스는 미국에서 모든 직원들에게 건강보험을 제공하는 첫 번째 회사가 되었습니다."

눈치채셨나요? 그는 스타벅스에 대표 하월드 슐츠입니다. 그가 하는 스피치는 기가 막힌 슬라이드쇼도 없었고 멋들어진 제스처도 없었죠. 하지만 그의 스피치는 사람들을 사로잡습니다. 책 <최고의 설득>에서 카민 캘로는 세계 정상들의 스피치를 분석합니다. 스티브 잡스는 어떤 방식으로 스피치를 하는지 오프라 윈프리는 어떤 전략을 사용하는지 말이죠.

유명한 스피처들은 때론 청중을 유머를 사용해 웃기기도 하고 쉬운 단어를 사용해 그들의 이해도를 높이기도 합니다. 그들의 목소리에는 힘이 있고 적당한 제스처를 올바른 때 사용하기도 하죠. 그러나 어떤 스피치에 사람들이 열광하는가에 이유로 저자는 다른 관점을 제시합니다. 그가 주목한 것은 바로 그들이 가지고 있는 "이야기 그 자체"입니다.

하워드 슐츠는 앞에서 보았듯 자신이 어려웠던 어린 시절과 아버지에 관한 지극히 개인적인 이야기 통해 회사의 사명과 가치관을 설명합니다. 아버지의 이야기는 그의 회사가 추구하는 가치에 대한 이야기와 단단히 묶여 실제로 그가 하고자 하는 말에 힘을 실어 줍니다.

그는 이렇게 말합니다. "커피는 우리가 파는 제품일 뿐 우리가 하는 사업은 아닙니다. 우리는 커피를 파는 사업이 아니라 사람을 위한 사업을 합니다. 사람 사이의 유대가 중요합니다." 실제로 스타벅스는 임시직을 비롯한 모든 직원들에게 포괄적인 의료보험 제공했고 5년 동안

1만 명의 제대 군인을 채용했습니다. 그러나 그는 항상 스피치에 시작에 아버지가 실직해 쇼파에 누워있는 것을 본 7살 소년을 이야기합니다.

우리의 뇌는 고생담을 거부하지 못합니다. 실제로 신경과학자 유리해슨은 2010년 발표한 논문에서 경험담을 이야기한 화자와 그것을 들은 청자 사이에 신경동조화가 폭넓게 이루어진다는 사실을 밝힙니다.
대단하다고 느꼈던 사람이 흥쾌이 자신의 치부를 드러내며 "나도 항상 성공만 했던 게 아니다."라고 말하면 귀를 기울이게 되죠. "열심히 일하라"는 말이나 "실패해도 괜찮다." 말을 누구나 할 수 있습니다. 그러나 자신이 겪은 이야기(쓰라렸던 실패의 경험, 고뇌의 시간)는 쉽게 할 수 없습니다.

오프라 윈프리는 자신의 유년 시절에 겪은 인종차별, 성폭행 등 어찌보면 부끄러웠던 자신의 불행했던 순간을 전 세계의 사람들과 기꺼이 공유합니다. 16살 때 그의 마야 안젤루에 자서전 《새장에 갇힌 새가 왜 노래하는지 나는 아네》를 읽습니다. 그녀는 그 책이 바로 삶의 전환점 역할을 하게 되었다고 말 하죠. 그녀는 사람들 앞에서 말하는 재능을 연마해 이름을 알리겠다는 다짐을 하게 되었고 실제로 그녀는 사람들을 고무시키는 여성 리더가 되었습니다.

스티브 잡스는 컴퓨터를 만들지 않습니다. 그는 삶을 풍요롭게 만듭니다.
하워드 슈츠는 커피 파는 일을 하지 않습니다. 그는 사람을 위한 비즈니스를 합니다.
오프라 윈프리는 토크쇼 진행자가 아닙니다. 그녀는 사람들의 의식 수준을 높입니다.

그리고 그들의 스피치와 그 속에 담긴 살아있는 그들의 이야기는 최고의 설득이 되어 사람들의 마음을 움직입니다.
《최고의 설득》〈유튜브 책그림〉

사람마다 느끼는 것이 다를 것이다. 필자가 느낀 것을 정리를 하면 진심 스피치, 나다운 스피치가 나와야 사람들의 마음을 얻을 수 있다. 그렇다면 어떻게 진심 스피치, 나다운 스피치를 할 수 있을까?

- "따르라" 말하지 않아도 따르게 하는 리더 스피치!

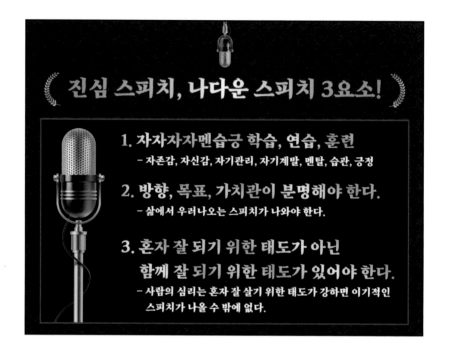

첫 번째 자자자자멘습긍 학습, 연습, 훈련

(자존감, 자신감, 자기관리, 자기계발, 멘탈, 습관, 긍정)

자자자자멘습긍을 꾸준하게 학습, 연습, 훈련을 하고 있다면 자연스럽게 진심, 나다운 스피치가 나온다. 말주변이 없는 사람이라도 자신이 겪었던 스토리를 말할 때 목소리 톤이 올라가고 자신감 넘치는 말을 한다. 이것이 나다운 스피치다. 자신의 상처, 트라우마, 콤플렉스, 열등감, 치부까지 말 할 수 있게 하는 것이 자자자자멘습긍이다. 가식적이지 않고 숨김이 없는 솔직한 스피치가 마음을 움직인다.

두 번째 방향, 목표, 가치관이 분명해야 한다.
리더 스피치는 삶에서 우러나오는 스피치가 나와야 한다. 생활 속에서는 개차반처럼 생활하면서 말만 번지르하게 한다면 진심을 느낄 수 없고 조직체원들은 그 말을 들었을 때 "너나 잘하세요. 리더 당신이나 잘하면서 말하세요. 자신도 안 하면서 우리에게만 하라고만 하네. 솔선수범 하면 할게요. 하는 짓을 보면 리더는 내가 회사를 빨리 퇴사하게 만들어"라는 태도로 마지못해 따르는 척하게 만든다.

리더가 방향, 목표, 가치관을 분명하게 말을 하며 생활속에서 행동까지 뒷받침이 된다면 조직체원들은 "역시 우리 리더 방향, 목표, 가치관이 뚜렷한 분이야. 솔선수범까지 하면서 말을 하니 믿음이 가네. 우리 리더는 내가 좋은 사람이 되고 싶도록 만들어"라는 태도로 따르게 만든다.

세 번째 혼자 잘 살기 위한 태도가 아닌 함께 잘 되기 위한 태도가 있어야 한다.
리더를 떠나서 사람의 심리는 혼자 잘 살기 위한 태도가 강하면 이기적인 스피가 나올 수밖에 없다. "사소한 것이라도 함께 잘 살자, 사소한 것이라도 도움이 되었으면 좋겠다."라는 태도가 강하면 스피치가 함께 잘 살기 위한 스피치가 나올 수밖에 없다.

사람들은, 조직체원들은 어떤 스피치를 원할까? 누구에게 물어봐도 함께 잘 살기 위한 스피치를 원할 것이다.

세상에서 최고의 스피치는 스티브 잡스, 하워드 슐츠, 오프라 윈프리 스피치가 아니다. 진심 스피치, 나다운 스피치를 하기 위한 3요소가 융합이 되어 나오는 스피치가 자신에게는 최고의 스피치다.

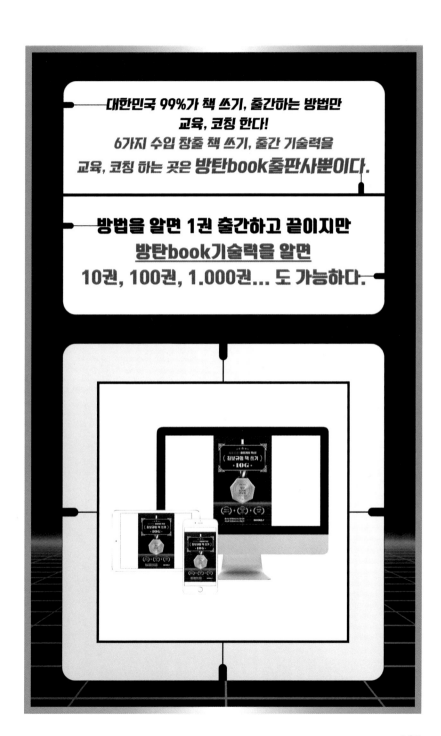

대한민국 99%가 책 쓰기, 출간하는 방법만
교육, 코칭 한다!
6가지 수입 창출 책 쓰기, 출간 기술력을
교육, 코칭 하는 곳은 방탄book출판사뿐이다.

방법을 알면 1권 출간하고 끝이지만
방탄book기술력을 알면
10권, 100권, 1.000권... 도 가능하다.

- 리더의 1D, 2D, 3D, 4D 스피치!

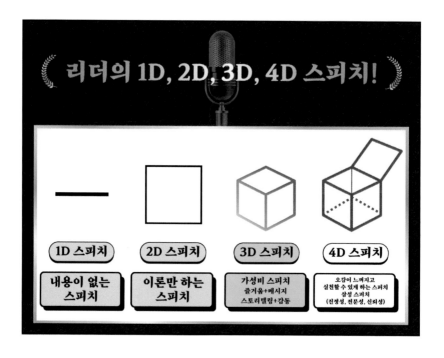

다음은 리더는 왜? 3D 스피치, 4D 스피치를 해야 하는
이유를 알려주는 내용이다.

강사님 강의는 1D 강의? 2D 강의? 3D 강의? 4D 강의?
청중, 학습자 앞에서 파워포인트를 보면서 말만 하는 것
이 강의가 아닙니다. 시대에 맞는 강의와 청중, 학습자
가 원하는 강의 스타일이 있습니다. 세상이 빠르게 변화
하고 있지만 그 상황을 누구나 알지만 자신 직업 속에
변화를 준비하는 사람은 드물다는 것입니다.

AI로 인해 수많은 직업이 사라진다고 하는 상황에서 강사라는 직업도 안전하지는 않다는 것입니다. 살아남기 위해 대체 불가능한 강사가 되기 위해서 남과 다른 강의, 강사와 청중, 학습자가 원하는 강의, 강사가 되기 위해서 치열한 현실 속에서의 변화를 해야 강사 직업을 오래 지속할 수 있습니다. 지금 하는 강의에서 어떻게 변화를 줄 것인가? 먼저 자신의 강의가 1D 강의? 2D 강의? 3D 강의? 4D 강의? 어떤 강의 유형인지를 알고 그 유형에서 업그레이드를 어떻게 해야 되는지를 알고 나서 준비해야 될 것입니다.

• 1D 강의: 내용이 없는 강의
- 강의 주제와 벗어나는 강의!
강의 주제와 상관없는 자기 자랑이 많은 강의, 강의 주제와 상관없는 자신 가정사 이야기를 많이 하는 강의, 강의 3가지 금기어(종교, 정치, 성적인 말)를 많이 사용하는 강의

- 이해가 안 되는 강의!
무슨 강의를 하는지 알 수 없는 강의, 의도하는 것이 무엇인지 알 수 없는 강의, 전문적인 내용이 많은데 뜻과 설명도 안 해주고 자신만 떠드는 강의

- 서론, 본론, 결론, 강의가 아닌 강사 자신의 기분이 내키는 대로 하는 강의!
강의 방향이 느껴지지 않는 강의.
청중, 학습자 분위기에 맞춰 강의 조절을 하는 것이 아니라 강사 자신 컨디션에 따라 강의를 조절하는 강의

• 2D 강의: 이론만 하는 강의
- 교과서 읽는 것처럼 하는 강의!
 PPT를 교과서처럼 읽고 청중, 학습자가 못 알아볼 정도로 글씨를 빼곡히 적어 눈을 피로하게 만들며 PPT에 사진, 그림도 자신만 알아볼 수 있는 크기로 강의 글씨만 읽어 주는 강의

- 감정이 느껴지지 않는 강의!
예시를 들어 줄 때 스토리텔링을 할 때 그 예시, 스토리에 맞는 감정들을 하지 않는 강의

2D 강의까지가 평균적인 강사들의 강의 스타일이고 20세기 강의 스타일입니다. 극단적으로 말씀드리면 호모사피엔스 시대의 강의 스타일이라는 것입니다. 시대에 맞는 강의 스타일을 만들어 가야 되는 것입니다. 왜? 명강사, 스타 강사, 1억 연봉 강사를 떠나서 오래 지속할 수 있는 강사, 나다운 강사가 되기 위해서입니다. 청중, 학

습자가 원하는 강의 스타일 시대에 맞는 강의 스타일 3D 강의, 4D 강의 참고하셔서 자신 강의 스타일에 융합을 잘 시켜 청중, 학습자에게 필요한 강사 대체 불가능한 강사가 되십시오.

• 3D 강의: 즐거움, 메시지, 스토리텔링, 감동을 통해 여러 가지를 접할 수 있는 강의
- 가성비 강의!
한 번의 강의로 즐겁고 메시지가 있으며 스토리텔링으로 이해가 잘 되어 감동까지 느끼며 배울 수 있는 강의, 다시 듣고 싶고 생각나는 강의, 끝나는 시간이 아쉬움을 주는 강의

- 머릿속에 그림이 그려지는 강의!
강사가 말하는 내용이 제스처, 감정이 접목이 되어 생생하게 느껴지게 하는 강의

• 4D 강의: 오감이 느껴지며 실천할 수 있게 하는 강의
- 생동감이 넘치는 싱싱한 강의!
액티비티한 강의 접목을 통해 지루하지 않은 강의, 4D 영화를 보는 듯한 생동감이 넘치며 실감나게 강의 내용에서 나오는 실물 도구를 활용해서 온몸으로 강의하는 강의

- 오감(시각, 청각, 후각, 미각, 촉각)까지 느껴지는 강의!

말로 표현하기 힘든 후각, 미각, 촉각을 강사의 스피치 속에서 감정, 표정, 온몸으로 표현을 통해 느끼게 해 주는 강의(오감 스피치)

- 그때뿐인 강의가 아닌 변화 동기부여가 되어 실천으로 옮길 수 있는 강의!

강의 시간 때만 느끼고 끝나는 것이 아닌 생활 속에서도 실천할 수 있게 실천 사용 설명서 도구를 청중, 학습자에게 주어 실천할 수 있게 도와주는 강의

《나다운 강사1》

20,000명 심리 상담, 코칭 하면서 리더 스피치에 대해 알게 된 것이 있다.

내용이 없는 1D스피치를 하는 리더 50%, 이론만 하는 2D스피치를 하는 리더 40%, 가성비 스피치(즐거움+ 메시지+ 스토리텔링+ 감동)인 3D스피치를 하는 리더 9%, 오감이 느껴지고 실천할 수 있게 하는 4D스피치를 하는 리더 1%다. 리더는 3D스피치, 4D스피치를 마스터해야지만 마지못해 1년을 따르는 리더십이 아닌 100년을 함께 하고 싶은 리더십이 나와 따르라 말하지 않아도 따르게 하는 것이다.

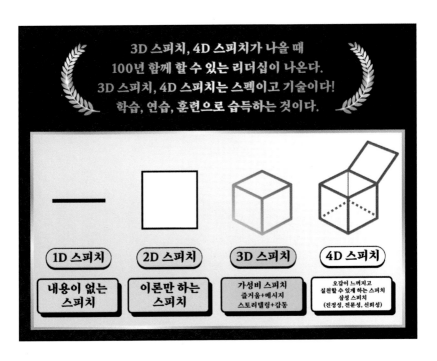

《나다운 방탄리더십 1, 2, 3, 4, 5》 책이 국가등록 민간자격증인 리더십코칭전문가 1급, 2급을 취득할 수 있는 교재다. 《자기계발 코칭전문가 1, 2, 3, 4, 5, 6》 책이 국가등록 민간자격증인 자기계발코칭전문가 1급, 2급을 취득할 수 있는 교재다. 《나다운 강사 1, 2》 책이 국가등록 민간자격증인 강사코칭전문가 1급, 2급을 취득할 수 있는 교재다. 리더십코칭전문가, 자기계발코칭전문가, 강사코칭전문가 자격증 세 개 중 한개만 취득하더라도 강사 자격이 주어지는 것이고 강사 직업을 할 수 있는 조건이 된다.

순간 이런 생각이 들것이다. "강사 아무나 하는 거 아니잖아요?" 결론부터 말하면 강사 개나, 소나, 닭이나, 고양이나 다 한다.

세부적인 내용들은 강사 백과사전인 강사 사용 설명서인 《나다운 강사1, 2》 목차 참고하길 바란다.

1장 나다운 강사
강사 1학년: 목표, 방향 설정반
1교시: 명강사! 스타 강사! 1억 연봉 프로 강사는 잊어라? 왜? why?

1페이지: 명강사! 스타 강사! 1억 연봉 프로 강사는 제발 잊어라!

2페이지: 강사 고.틀.선.편(고정관념, 틀, 선입견, 편견) 깨기

3페이지: 나다운 강의 스타일 만드는 공식 3:7

4페이지: 나다운 강사가 되기 위한 강사 예방접종

2교시: 강사 인생의 순풍: 역풍이 불었을 때 순풍으로 만들어 주는 것?

1페이지: 빙하(목표)? 빙산(방향)? 유빙(목표, 방향 없음)? 차이점

2페이지: 노오력이 아닌 올바른 노력

3교시: 대한민국 강사 양성 과정, 민간자격증 과정 현실!

1페이지: 빠른 결과물을 유도하는 미끼에 속는 강사들

2페이지: 강사가 원하는 강사 양성 과정?

3페이지: 제대로 된 양성 과정인지 아닌지 알 수 있는 방법?

4페이지: 강사 양성 과정의 현주소

5페이지: 나이를 어디로 먹었습니까! 강의 경력을 어디로 먹었습니까!

4교시: 빠르진 않지만 멈추진 않는다!

1페이지: 걱정 마, 그것들 모두 지구 안에 있을 거야!

2페이지: 인생은 마라톤! 강사 직업 마라톤! 완주? 기록?

3페이지: 강사 직업 마라톤 완주하기 위한 GPS

5교시: 목표, 방향 설정 사용 설명서

1페이지: 대한민국 국민 5,200만 명 중 5,000만 명이 오해하고 있는 명언

2페이지: 1%의 영감을 만들기 위한 레시피?

3페이지: 1%의 영감을 만드는 사용 설명서

6교시: 강사 목표, 방향 사용 설명서

2장 강사 내비게이션

강사 2학년: 강사 자신감 반

1교시: 강사 내비게이션에 가장 중요한 것? 강사 GPS

1페이지: 강사 GPS 켜셨나요?

2교시: 강사 개나 소나 고양이나 시작합니다!

1페이지: 최보규 강사도 개나 소나였습니다! 단 개나 소나처럼 강의하지 말자!

2페이지: 강사 눈 뜨는 시기

3교시: 강사가 돈이 없지. 가오(자존심)가 없냐!

1페이지: 강사가 강의가 없지. 강의력이 없냐!

4교시: 잘하지 않아도 괜찮아! 부족하니까 사랑스럽지! 지금 잘하고 있는 거 알지!

1페이지: 최고의 자신감은 자신이 자신에게 주는 것

5교시: 자신감 사용 설명서

강사 3학년: 강사 스킬 UP반

1교시: 변화 없는 강의, 강사 스킬은 강사 암 초기 증상

1페이지: 변화 없는 강의, 강사 스킬은 강사 암 초기 증상

2교시: 지금처럼 강의할 것인가? 지금부터 강의할 것인가?

1페이지: 지금처럼 강의할 것인가? 지금부터 강의할 것인가?

3교시: 변화는 있어도 변함은 없어야 된다!

1페이지: 강사님 프로필에서는 냄새가 납니까? 향기가 납니까?

2페이지: 프로필은 담당자에게 보내는 프러포즈 편지

3페이지: 남과 다르게 나답게 변화

4페이지: 강사가 강의는 필수지만 파워포인트는 선택이

다!

6교시: 스킬 UP 사용 설명서

3장 강사 사용 설명서

강사 4학년: 강사 트레이닝반

1교시: 세계 인구만큼 강의 스타일

1페이지: 명강사 강의! 스타강사 강의! 1억 연봉 프로강사 강의는 제발 잊으세요! 3:7공식

2교시: 세상에서 가장 잘 먹히는 스피치

1페이지: 사투리 때문에 강사 일 접을 뻔? 사투리 덕분에 나다움 찾음!

2페이지: 진심 스피치만큼 가슴에 남는 스피치는 없다!

3페이지: 세상에 스피치 못하는 사람은 없습니다, 다만 청중이 바라는 스피치 방법을 모를 뿐입니다.

3교시: 누구나 무대공포증은 있다. 다만 극복할 방법을 모를 뿐이다.

1페이지: 무대공포증 이것만 하면 게임오버!

2페이지: 마이크 공포증을 극복하기 위해 마이크를 스마트폰보다 더 많이 가지고 다니다.

4교시: 무대가 없음 무대를 만들자

1페이지: 강의 환경을 만들기 위한 대가 지불, 시행착오 보존의 법칙

2페이지: 내가 머문 곳이 강의 연습, 훈련! 만나는 사람이 강의 연습, 훈련!

3페이지: 강사 10년 차도 초보 강사입니다!

5교시: 트레이닝 사용 설명서

강사 5학년: 강사 멘탈반

1교시: 강사에게 가장 중요한 스펙? 세상에서 가장 중요한 스펙?

1페이지: 모든 것의 시작은 자기 관리입니다! 가장 어려운 것이 자기 관리, 가장 강력한 스펙 자기 관리

2교시: 강사 직업 수명은 강사료(돈)로 결정된다? NO! 단언컨대 말씀드립니다! 멘탈 때문에 결정됩니다! 왜? why?

1페이지: 강사 직업 수명 멘탈 때문에 결정된다? 왜? why?

2페이지: 강사님 빽 없죠? 세상에서 가장 좋은 빽 소개시켜 드릴게요!

3교시: 강사 100만 명 프리랜서 강사 창업 현실

1페이지: 누구나 강사를 시작한다! 하지만 강사 현실을 제대로 알고 시작하는 강사는 0.1%도 없다!

4교시: 강사 멘탈 3요소 = 1. 강사 인성, 2. 강사 매너 (개념)

1페이지: 강사 인성, 매너(개념)도 이제는 실력입니다.

2페이지: 강사님 강사료 얼마입니까?

3페이지: 강사는 백조다! 백조 물 밑의 다리(강사 현실)

4페이지: 강사료를 올리는 건 강사 인성, 매너, 개념 강사료 올리기 위한 천기누설

5페이지: 3만 원 강의가 300만 원 나비효과

5교시: 강사 멘탈 3요소 = 3. 솔선수범

1페이지: 강사가 보내는 가장 강력한 메시지는 솔선수범

2페이지: 교수, 선생님처럼 강의할 것인가? 강사처럼 강의할 것인가?

3페이지: 강사 타이틀, 이름만 쓸 거면 댕댕이 냥냥이나 줘 버려

6교시: 담당자는 영원한 갑, 강사는 영원한 을

1페이지: 강사 현실 갑, 을, 병, 정 관계

2페이지: 담당자는 자신의 멘탈 관리자

3페이지: 담당자를 가르치지 않고 가르치는 천기누설

7교시: 강사 영업! 거래처 관리! 250 대 1 법칙만 알면 끝?

1페이지: 강사 250 대 1 법칙

(Matcher)' 강사 페이스메이커='기버(Giver)'로 나누어
진다!

1페이지: 강사님은 강사='테이커(Tacker)'? 강사 트레이
너='매처(Matcher)'? 강사 페이스메이커='기버(Giver)'?

2교시: 사명감은 만들어지는 것이 아니라 만들어 가는
것!

1페이지: 아버지 발인과 바꾼 강사 직업

3교시: 사명감 사용 설명서

졸업반: 끝은 없다! 시작만 있다!

1교시: 기회가 왔다는 최고의 타이밍? 변화할 시기가 왔
다는 최고의 타이밍?

1페이지: 시작만 있지 끝은 없다!

2교시: 다시! 시작! 토닥! 토닥! 지금 잘하고 있는 거 알
죠!

강사 직업 현실을 간단히 정리해서 말해 주겠다. 민간자격증 2~3개 정도 취득하면 강사 자격이 주어진다.
스피치, 교안 준비, 프로필 준비, 강사 스펙...부수적으로 필요한 것들이 있지만 리더, 전문직 프리랜서라면 자신 분야를 교안(ppt)으로 만들어서 강의도 할 수 있다. 강사 직업 문턱이 아주 낮다.

온, 오프라인 교육을 받고 리더십코칭전문가 자격증을 취득하면 리더십 강사, 리더 자기계발 강사가 될 수 있고 리더 자신 분야 전문성과 연결시켜 강의 수입도 극대화 시키고 노후에 제2의 직업까지 할 수 있다는 것이

장점이다.

통계청에 의하면 대한민국 2022년 은퇴 나이 49세 점점 더 낮아지고 있다. 그 누구도 이제는 안심 할 수 없는 것이다. 20대 은퇴 예정자, 30대 은퇴 확정자, 40대 은퇴 위험군이라는 말이 그냥 나온 것이 아니다. 은퇴하면 자신 분야 10년~30년 경력 인정받고 경력을 살려서 다시 일할 수 있는 사람이 0.1%밖에 되지 않는다.

자신 분야 경력을 그대로 살려서 강사 직업, 코칭 전문가 직업이 제2의 직업, 제3의 직업이 될 수 있다. 그래서 리더 자기계발의 필수인 강사 자기계발을 해야 한다고 강조하는 것이다.

하지만 강사는 누구나 되지만 방탄강사는 아무나 될 수 없기에 방탄강사 사관학교 시스템 안에서 체계적으로 배워야 한다. 강사가 되면 1년도 못하지만 방탄강사가 되면 100년을 한다.

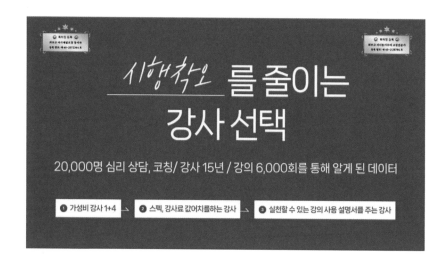

시행착오를 줄이는 강사 선택

20,000명 심리 상담, 코칭/ 강사 15년 / 강의 6,000회를 통해 알게 교육 담당자, 학습자가 바라는 강사

**1 가성비 강사
(1+4)**

강의 시간 속에
즐거움, 메시지
스토리텔링, 감동
실천 동기부여를 해주는 강사

**2 스펙, 강사료
값어치를하는 강사**

지금까지 들었던
강사와 다른
내공, 가치, 값어치가
다르게 느껴지는 강사

**3 실천할 수 있는 강의
사용 설명서를 주는 강사**

강의 때 배운 것들
강의 끝난 후
활용할 수 있는
사용 설명서(도구)를 주는 강사

시행착오를 줄이는 강사 선택

20,000명 심리 상담, 코칭/ 강사 15년 / 강의 6,000회를 통해 알게 교육 담당자, 학습자가 바라는 강사

**1 가성비 강사
(1+4)**

강의 시간 속에
즐거움, 메시지
스토리텔링, 감동
실천 동기부여를 해주는 강사

경기가 어려우면 교육을 의뢰하는 업체들은 이벤트, 교육 예산을 가장 먼저 비용 절감한다. 그래서 교육담당자들은 1명의 강사비로 5가지의 교육효과를 보고 싶어 한다. 한 번 교육 속에 즐거움, 메시지, 스토리텔링, 감동, 실천 동기부여를 해주는 가성비 강사를 선호한다.

시행착오를 줄이는 강사 선택

20,000명 심리 상담, 코칭/ 강사 15년 / 강의 6,000회를 통해 알게 교육 담당자, 학습자가 바라는 강사

가성비 강사
(1+4)

강의 시간 속에
즐거움, 메시지
스토리텔링, 감동
실천 동기부여를 해주는 강사

가성비 강사는 시대 흐름이 되었다. 학습자들은 강의, 교육을 수 십 번 듣다 보니 일방적인 이론 교육만 하는 강의, 교육을 싫어한다. 가성비 강의를 하지 못하는 강사는 살아남지 못한다.

시행착오를 줄이는 강사 선택

20,000명 심리 상담, 코칭/ 강사 15년 / 강의 6,000회를 통해 알게 교육 담당자, 학습자가 바라는 강사

스펙, 강사료
값어치를 하는 강사

지금까지 들었던
강사와 다른
내공, 가치, 값어치가
다르게 느껴지는 강사

학습자가 강의를 들었을 때 "전에 비슷한 강의 수십 번 들었지만 이강사는 다르다. 프로필에 나온 스펙, 타이틀 값어치를 하는 강사다. 다시 듣고 싶게 하는 강의 내용이다. 강의 내용이 너무 좋아서 강사료를 더 챙겨 주고 싶게 만든다.

126

시행착오를 줄이는 강사 선택

20,000명 심리 상담, 코칭 / 강사 15년 / 강의 6,000회를 통해 알게 교육 담당자, 학습자가 바라는 강사

스펙, 강사료
값어치를 하는 강사

지금까지 들었던
강사와 다른
내공, 가치, 값어치가
다르게 느껴지는 강사

학습자를 사랑하는 마음이 느껴지는 강의다. 이런 강의는 10시간도 듣고 싶다."라는 마음을 들게 하는 강사가 가성비 강사이고 스펙, 강사료 값어치를 하는 강사이다.
강사가 스펙 값, 타이틀값, 경력 값을 하는 건 당연한 것이다.

시행착오를 줄이는 강사 선택

20,000명 심리 상담, 코칭 / 강사 15년 / 강의 6,000회를 통해 알게 교육 담당자, 학습자가 바라는 강사

스펙, 강사료
값어치를 하는 강사

지금까지 들었던
강사와 다른
내공, 가치, 값어치가
다르게 느껴지는 강사

프로필에 있는 스펙은 1시간에 100만 원 강사비를 받는 자격은 되는데 강의 내용이 10만 원 강사 보다 못한 강의를 하는 강사들이 많다. 한마디로 스펙, 강사료 값어치를 못 하는 강사가 많다는 것이다.

127

20,000명 심리 상담, 코칭/ 강사 15년 / 강의 6,000회를 통해 알게 교육 담당자, 학습자가 바라는 강사

2

스펙, 강사료 값어치를 하는 강사

지금까지 들었던
강사와 다른
내공, 가치, 값어치가
다르게 느껴지는 강사

학습자가 강의를 들었을 때 "이런 강의는 나도 하겠다. 뻔한 강의, 차별화가 없는 강의, 신선함이 없는 강의, 강의 듣는 시간에 잠이나 자는 게 낫겠다. 이런 내용으로 하는 강의라면 강사 개나 소나 다하겠다."라는 마음을 들게 하면 **최악의 강사다.**

시행착오를 줄이는 강사 선택

20,000명 심리 상담, 코칭/ 강사 15년 / 강의 6,000회를 통해 알게 교육 담당자, 학습자가 바라는 강사

3

실천할 수 있는 강의 사용 설명서를 주는 강사

강의 때 배운 것들
강의 끝난 후
활용할 수 있는
사용 설명서(도구)를 주는 강사

20,000명 심리 상담, 코칭 하면서 알게 된 것은 사람의 심리는 1시간 교육, 강의를 듣더라도 90%는 기억하지 못하고 10%만 기억을 한다. 10%를 기억하는 사람들 중에 실천하는 사람은 0.1%도 되지 않는다. 아무리 강의, 교육이 좋아도 기억이 나지 않는데 어떻게 생활 속에서 실천을 하겠는가?

시행착오를 줄이는 강사 선택

20,000명 심리 상담, 코칭/ 강사 15년 / 강의 6,000회를 통해 알게 교육 담당자, 학습자가 바라는 강사

3

실천할 수 있는 강의
사용 설명서를 주는 강사

강의 때 배운 것들
강의 끝난 후
활용할 수 있는
사용 설명서(도구)를 주는 강사

돌아서면 기억하지 못하기에 교육, 강의가 끝난 후에도 실천할 수 있는 매개체를 주어야 한다. 눈에 보여야 실천 확률이 높기에 시각적인 실천 동기부여 도구를 주어야 한다. 학습자들이 가장 바라는 것은 교육, 강의 끝난 후에도 생활 속에서 실천 할 수 있게 해주는 것이다.

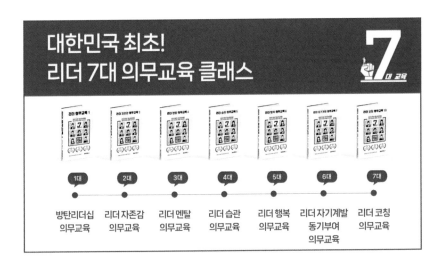

대한민국 최초!
리더 7대 의무교육 클래스

1대	2대	3대	4대	5대	6대	7대
방탄리더십 의무교육	리더 자존감 의무교육	리더 멘탈 의무교육	리더 습관 의무교육	리더 행복 의무교육	리더 자기계발 동기부여 의무교육	리더 코칭 의무교육

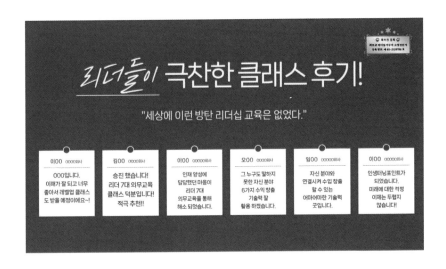

리더들이 극찬한 클래스 후기!

"세상에 이런 방탄 리더십 교육은 없었다."

이OO OOOOO회사	김OO OOOOO회사	이OO OOOOO회사	오OO OOOOO회사	임OO OOOOO회사	이OO OOOOO회사
OOO입니다. 이해가 잘 되고 너무 좋아서 레벨업 클래스 도 받을 예정이에요~!	승진 했습니다! 리더 7대 의무교육 클래스 덕분입니다! 적극 추천!!	인재 양성에 답답했던 마음이 리더 7대 의무교육을 통해 해소 되었습니다.	그 누구도 말하지 못한 자신 분야 6가지 수익 창출 기술력 잘 활용 하겠습니다.	자신 분야와 연결시켜 수입 창출 할 수 있는 어마어마한 기술력 굿입니다.	인생터닝포인트가 되었습니다. 미래에 대한 걱정 이제는 두렵지 않습니다!

시간, 돈 낭비하지 마세요!
검증된 강사와 함께 하세요!

※ 더 자세한 소개와 상담문의는 홈페이지를 참고해 주세요. (www.방탄자기계발사관학교.com)

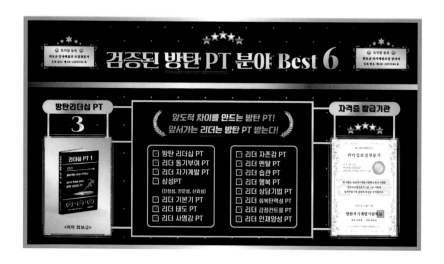

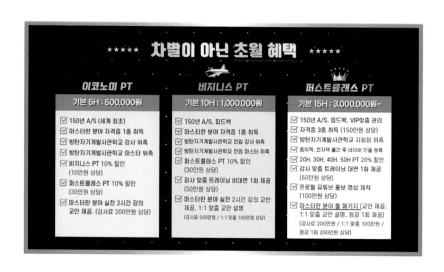

차별이 아닌 초월 혜택

이코노미 PT

기본 5H : 500,000원

- ☑ 150년 A/S (세계 최초)
- ☑ 마스터한 분야 자격증 1종 취득
- ☑ 방탄자기계발사관학교 강사 위촉
- ☑ 방탄자기계발사관학교 마스터 위촉
- ☑ 비지니스 PT 10% 할인
  (10만원 상당)
- ☑ 퍼스트클래스 PT 10% 할인
  (30만원 상당)
- ☑ 마스터한 분야 실전 2시간 강의
  교안 제공. (강사료 200만원 상당)

비지니스 PT

기본 10H : 1,000,000원

- ☑ 150년 A/S, 피드백
- ☑ 마스터한 분야 자격증 1종 취득
- ☑ 방탄자기계발사관학교 전임 강사 위촉
- ☑ 방탄자기계발사관학교 전임 마스터 위촉
- ☑ 퍼스트클래스 PT 10% 할인
  (30만원 상당)
- ☑ 강사 맞춤 트레이닝 비대면 1회 제공
  (50만원 상당)
- ☑ 마스터한 분야 실전 2시간 강의 교안
  제공, 1:1 맞춤 교안 설명
  (강사료 200만원 / 1:1 맞춤 100만원 상당)

퍼스트클래스 PT

기본 15H : 3,000,000원~

- ☑ 150년 A/S, 피드백, VIP맞춤 관리
- ☑ 자격증 3종 취득 (150만원 상당)
- ☑ 방탄자기계발사관학교 지회장 위촉
- ☑ 종이책, 전자책 출간 후 네이버 인물 등록
- ☑ 20H, 30H, 40H, 50H PT 20% 할인
- ☑ 강사 맞춤 트레이닝 대면 1회 제공
  (50만원 상당)
- ☑ 프로필 유튜브 홍보 영상 제작
  (100만원 상당)
- ☑ 마스터한 분야 풀 패키지 (교안 제공,
  1:1 맞춤 교안 설명, 청강 1회 제공)
  (강사료 200만원 / 1:1 맞춤 100만원 /
  청강 1회 200만원 상당)

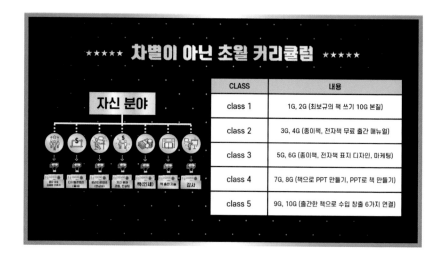

차별이 아닌 초월 커리큘럼

자신 분야

CLASS	내용
class 1	1G, 2G (최보규의 책 쓰기 10G 본질)
class 2	3G, 4G (종이책, 전자책 무료 출간 매뉴얼)
class 3	5G, 6G (종이책, 전자책 표지 디자인, 마케팅)
class 4	7G, 8G (책으로 PPT 만들기, PPT로 책 만들기)
class 5	9G, 10G (출간한 책으로 수입 창출 6가지 연결)

강사코칭전문가 2급 커리큘럼

클래스명	내용	1급(온,오)
강사 현실	강사 현실(생계형 강사 90% 강사님 강사료가 어떻게 되나요?)	1강
강사 준비 1	강사라는 직업을 시작하려는 분들 준비, 학습, 연습, 훈련!	2강-1부
강사 준비 2	강사라는 직업을 시작하려는 분들 준비, 학습, 연습, 훈련!	3강-2부
강사 준비 3	강사라는 직업을 시작하려는 분들 준비, 학습, 연습, 훈련!	4강-3부
1년차 ~ 3년차	1년차 ~ 3년차 경력 있는 강사들 준비, 학습, 연습, 훈련!	5강
3년차 ~ 5년차	3년차 ~ 5년차 경력 있는 강사들 준비, 학습, 연습, 훈련!	6강
5년차 ~ 10년차 1	5년차 ~ 10년차 이상 경력 있는 강사들 준비, 학습,연습, 훈련!	7강-1부
5년차 ~ 10년차 2	5년차 ~ 10년차 이상 경력 있는 강사들 준비, 학습,연습, 훈련!	8강-2부
5년차 ~ 10년차 3	5년차 ~ 10년차 이상 경력 있는 강사들 준비, 학습,연습, 훈련!	9강-3부
5년차 ~ 10년차 4	5년차 ~ 10년차 이상 경력 있는 강사들 준비, 학습,연습, 훈련!	10강-4부
강의, 강사 트랜드	교육담당자, 청중, 학습자가 원하는 강의, 강사 트랜드! 2022년 부터 ~ 2150년 강의, 강사 트랜드!	11강
강시 코칭전문가	강사 코칭전문가 10계명(품위유지의무)	12강

강사코칭전문가 1급 커리큘럼

클래스명	내용	1급(온,오)
집중 기법	강의 시작 동기부여, 강의 집중 기법	1강
SPOT 기법	아이스브레이킹 기법 (SPOT+메시지기법)	2강
스토리텔링 기법	스토리텔링 기법, 피크앤드기법	3강
강사료UP	강사료 올리는 방법! 강사 인성, 매너, 개념, 멘탈 교육	4강
강의트랜드	담당자, 청중, 학습자가 원하는 강의기법 트랜드	5강

행복한 강사를 위한 강의, 강사 검진

강사병원
검진성형

"대한민국 최초" 최보규 강사 닥터 1호

몸과 마음이 아프면 병원에 의사를 만나야 하듯!
강사를 하다 힘들면 언제든지 치료받을 수 있는
당신만의 강사주치의 '강사 닥터'

www.방탄자기계발사관학교.com

**교육 담당자, 청중, 학습자가 원하는 강의 스타일, 강사 스타일
이 있는데 강사님은 자신 스타일만 고집하고 있지는 않나요?**

왜? 내 강의는 즐겁지 않지?

왜? 내 강의는 메시지가 없지?

즐거운 강의는 되는데 메시지가 약한 강사

메시지 강의는 되는데 즐거운 강의가 약한 강사

지금 가성비 강사를 원하고 가성비 강사만 살아남습니다.

즐거운 강의(기본)+메시지+스토레텔링+감동 = 실천 동기부여

강사료를 어떻게 올리지? 강사일 어떻게 오래 지속하지?

강의, 강사의 걱정 고민 37,000가지

강사양성 전문가가 해결해 드립니다.

세상에 즐거운
강의, 메시지 강의
못하는 강사는 없습니다.
다만 그 방법을 모르는
강사만 있을 뿐입니다.

-최보규 강사 닥터 1호-

"대한민국 최초"
검증된 강사양성 전문가

검진, 성형 항목! 어떤 것들이 있을까요?

🔊 **노오력이 배신하는 시대! 올바른 노력을 하기 위해**
강사 전문가에게 검진받고 강의, 강사 성형하세요!

강사방향 닥터	PPT 닥터	강사멘탈 닥터
스킬UP 닥터	트레이닝 닥터	강사코칭 닥터

강사 검진, 성형 절차는 이렇습니다.

🔊 강사가 교육 일정에 맞추는 일반적인 강사교육이 아닙니다.
상담 후 강사 현재 상황에 맞는 교육, 일정 조정 후 진행 "특별 맞춤 교육"

✓ 상담 및 예약
전화, 문자 상담 = 예약 가능합니다.
상담 및 예약 : 최보규 원장 010-6578-8295
시간 : 09:00 ~ 18:00 (부재 중 문자 남기세요.)

✓ 일시 ┃ 시간
기본 5시간 ~ 60시간 / 3개월 / 6개월 / 1년
상담 후 교육과정에 따라 조절

✓ 장소 ┃ 비용
신촌 두드림 스터디룸 신촌역6번 (3분 거리)
온, 오프라인 가능
자신 수준에 맞는 교육 상담 후 결정 / 출장 가능

★★★★★
✓ 특급 혜택
교육 후 150년 A/S 관리, 피드백

강사병원
검진성형

강사 즐겁게, 쉽게, 함께 합시다!

강사님 현 상황에서
필요한 검진, 성형으로
피 같은 돈
낭비하지 마세요!

상담 후 예약제입니다 ^^

최보규 강사 닥터 1호 010-6578-8295

강사병원 검진성형

✔ 일시, 시간

▶ 수시 모집 (상담)

▶ 13:00 ~ 18:00 (기본 5시간)

　시간 조정 가능!(10H, 15H, 20H)

✔ 내용

1. 강의 시작 집중기법, SPOT 기법, 아이스브레이킹 기법
　SPOT+메시지기법
2. 스토리텔링 기법
3. 엑티비티 팀빌딩 기법 (팀 워크, 조직활성화)
4. "대한민국 최초" 강사 인성, 매너, 개념, 멘탈 교육
　강사 연차 별 준비, 변화 방법!, 강사료 올리는 방법!
5. 3D.4D 강의 기법. 담당자, 청중, 학습자가 원하는 강의기법.

✔ 자기계발 비용, 인원

▶ 비용 상담

▶ 1:1 코칭(온,오프라인)

✔ 장소, 상담

▶ 장소 상담 후 상황에 따라 변동 사항

▶ 한 번의 상담이 인생 터닝포인트

　150년 A/S, 관리, 피드백

　최보규 원장 010-6578-8295

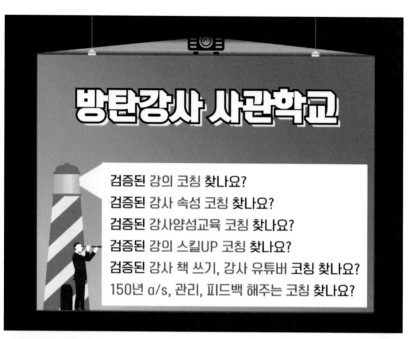

방탄강사 사관학교
시스템 사용설명서

시스템 소개

4차 산업 시대에 맞는 4차 강사로 업데이트!

대한민국 강사 250만 명(학원, 소속) 프리랜서 강사 100만 명 그중 90% 가 생계형 강사입니다. 수많은 강사를 상담(20,000명)하면서 알게 된 대한민국 강사 업계 현실, 강사양성 문제점, 강의 분야 1,000개, 강사분야 10개를 대한민국 최초로 통합시켜 강사 백과사전을 만든 사람으로서 시작하는 강사부터 100년 차 강사까지 년 차별 준비, 학습, 변화를 코칭하는 '세계 최초' 방탄강사 사관학교! 세계 최초로 150년 A/S, 관리, 피드백! 한번 코칭 받고 끝나는 인스턴트 코칭이 아닌 인연이 되어주는 코칭입니다. 우주 최강 책임감으로 함께 합니다!

01 교육.강의.코칭 목적 및 기대효과

◀)) "대한민국 최초" 시스템 강사양성교육을 통해 강사직업에 필요한 모든 것! 강사 인성, 매너까지 강사 리더를 양성하는 교육. 교육에 맞추는 양성교육이 아닌 학습자 상황에 맞춤교육.

강사 상황 검진을 통해 트랜드에 맞는 강의, 강사 성형하는 교육.
늘 그때뿐인 교육, 강의, 코칭이 아닌 150년 a/s, 관리, 피드백으로 꾸준히 변화, 성장하는 기대효과.

 ## 02 교육.강의.코칭 항목

◀)) ▶강사 1학년: 목표, 방향 설정반 ▶강사 4학년: 강사 트레이닝반
▶강사 2학년: 강사 자신감반 ▶강사 5학년: 강사 멘탈반
▶강사 3학년: 강사 스킬 UP반 ▶강사 6학년: 강사 사명감반

학년별 시스템 교육을 통한 검증된 강사가 되어 강사료에 맞는 강사!
강사 직업을 오래 지속할 수 있는 강사로 거듭나는 교육.

강사방향 교육   PPT 교육   강사멘탈 교육   스킬UP 교육   트레이닝 교육   강사코칭 교육

03 교육.강의.코칭 내용

◀)) 전문 상담사의 상담을 통해 자신이 듣고 싶은 과정이 아닌 자신 상황에 맞는 맞춤 교육을 통해 교육 효과를 극대화합니다.

01 🎓	02 🎓	03 🎓	04 🏅
강사 학사	**강사 석사1**	**강사 석사2**	**강사 박사**
강의, 강사의 모든 것. 강사 1,2,3,4,5,6학년 체계적인 시스템을 통한 학습, 연습, 훈련. ※신청조건 : 누구나	강의, 강사 속성교육. 강의, 강사 스킬UP. 강의, 강사 트레이닝. ※신청조건 : 강사 1년 차 이상	강사 1,2,3,4,5,6학년 체계적인 시스템을 통한 속성교육. ※신청조건 : 강사 1년 ~ 5년 차	강사 퍼스널브랜딩. (저서 , 유튜브, SNS 코칭) 강사 1:1 상담 코칭. 강사양성과정 상담, 커리큘럼, 운영 코칭. ※신청조건 : 3년 차 이상
⊙	⊙	⊙	⊙
3개월 과정 (42H)	1개월 과정 (30H)	하루 과정 (8H)	2일 과정 (16H)

 04 강사 학사 신청 대상 세부 내용

 🎓 **강사 학사** 🎓

▶ 강사직업을 시작하고 싶은 분.

▶ 자존감, 자신감, 자기계발, 자기관리, 멘탈, 습관, 긍정을 배워 새로운 인생을 살며 삶의 질을 높이고 싶은 분.

▶ 민간자격증은 많이 취득했는데 강의 1시간도 못해 기초부터 제대로 강의를 배워서 사명감 있는 강사가 되고 싶은 분.

▶ 많은 강사양성교육에 지쳐 이제는 돈 낭비 안 하고 싶은 분.

▶ 강사양성교육 후 꾸준한 관리, 도움, 함께 하고 싶은 분.

05 강사 석사1 신청 대상 세부 내용

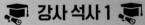 ### 강사 석사 1

- ▶ 스팟기법, 아이스브레이킹기법, 집중기법, 강의기법을 자신 강의에 접목하는 스킬을 배우고 싶은 강사.
- ▶ 즐거운 강의, 메시지, 스토리텔링 기법을 배우고 싶은 강사.
- ▶ 강의 내공, 강의력을 키우고 싶은 강사.
- ▶ 자신 강의 스타일을 점검받고 다듬고 싶은 강사.
- ▶ 트렌드에 맞는 강의 스타일, 강사 스타일을 만들어 강사료를 올리고 싶은 강사.

 ## 06 강사 석사2 신청 대상 세부 내용

 ### 강사 석사 2

- ▶ 강의, 강사 기본기를 제대로 시작부터 다듬고, 배우고 싶은 강사.
- ▶ 강사 1,2,3,4,5,6 학년 체계적인 시스템을 통해 강의 정석 강사의 정석을 속성으로 배우고 싶은 강사.

- ▶ 강의 트렌드를 속성으로 배우고 싶은 강사.
- ▶ 강사 트렌드를 속성으로 배우고 싶은 강사.
- ▶ 속성으로 강의, 강사의 모든 것을 배우고 싶은 강사.

07 강사 박사 신청 대상 세부 내용

 강사 박사

▶ 자신 분야 책 집필을 통해 강사료를 올리고 싶은 강사.

▶ 강사 방향을 잡아 강사 퍼스널브랜딩을 만들고 싶은 강사.

▶ 강사 영업, 홍보(유튜브,블로그,SNS) 전략을 배워 비수기 5개월을 극복하고 싶은 강사.

▶ 강사1:1 코칭, 상담 기법을 배워 비수기 5개월을 극복하고 싶은 강사.

▶ 자신 분야를 디지털 콘텐츠 제작해서 온라인 건물주가 되어 월세, 연금성 수입으로 경제적 자유 시스템을 만들고 싶은 분

 특 특별 교육.코칭

◀)) 강사 평균 1년 동안 강사양성교육, 자격증 비용 300 ~ 600만 원 ⎯ 강사 10,000명 조사 ⎯

◀)) 1:1 특별 맞춤 코칭! 강의, 강사 속성으로 마스터! (상담 후 날짜, 시간 예약제)

특1 **이코노미석 코칭**	특2 **비즈니스석 코칭**	특3 **퍼스트클래스석 코칭**
자기계발 비용 상담 강의 시작, 강의 준비의 모든 것 함께 작업 코칭. 강의 스킬 UP. 강의 트레이닝. 원하는 부분 특별 코칭	자기계발 비용 상담 배우고 싶은 강의. 강의 교안, 강의 트레이닝 트렌드에 맞는 강의 코칭 트렌드에 맞는 강사 코칭 특별 코칭.	자기계발 비용 상담 수요 많은 강의. 강의 교안, 강의 트레이닝 ※풀세트 : 교안, 강의 대본 기본서류 코칭. 자신스트일에 맞게 코칭.
1회(5H) ~ 3회(15H)	1회(5H) = 총 : 5회(25H)	1회(5H) = 총 : 7회(35H)

08 강사 학사 교육 커리큘럼

🔊)) 교육 시간은 변동사항 있을 수 있습니다!

구분	주제	강의내용	시간
강사 학사	강사 1학년 : 목표, 방향 설정반	명강사! 스타 강사! 1억 연봉 프로 강사는 잊어라! 왜? why?	H
	강사 2학년 : 자신감반	강사 개나 소나 시작합니다!	H
	강사 3학년 : 강사 스킬 UP반	변화 없는 강의, 강사 스킬은 강사 암 초기 증상	H
	강사 4학년 : 강사 트레이닝반	세계인구 75억 명 강의, 강사 스타일 75억 개	H
	강사 5학년 : 강사 멘탈반	강사 직업 수명은 강사료(돈)로 결정된다? NO!단언컨대 말씀 드립니다! 멘탈 때문에 결정됩니다! 왜? why?	H
	강사 6학년 : 강사 사명감반	사명감은 만들어지는 것이 아니라 만들어 가는 것!	H

 ## 09 강사 석사1 교육 커리큘럼

🔊)) 교육 시간은 변동사항 있을 수 있습니다!

구분	주제	강의내용	시간
강사 학사 1	강사 인성, 매너, 영업	강사 인성, 매너 학습 / 강사료 올리는 방법 / 강사 영업 노하우	H
	강사 스킬 UP 1	파워포인트 우주 초보 탈출 / 지금 실력 업그레이드	H
	강사 스킬 UP 2	강의 기법, 스팟 기법, 메시지기법, 스토리텔링기법, 피크앤드기법	H
	강사 스킬 UP 3	교육 담당자, 청중, 학습자가 원하는 강의 스타일 스킬 UP	H
	강사 트레이닝 1	교육 담당자, 청중, 학습자가 원하는 강의 스타일 트레이닝	H
	강사 트레이닝 2	트렌드인 3D 강의! 4D 강의 강의 스타일 트레이닝	H

10 강사 석사2 교육 커리큘럼

🔊 교육 시간은 변동사항 있을 수 있습니다!

구분	주제	강의내용	시간
강사 학사 2	강사 인성, 매너, 영업 1	강사 인성, 매너 학습 / 강사료 올리는 방법 / 강사 영업 노하우 1	H
	강사 인성, 매너, 영업 2	강사 인성, 매너 학습 / 강사료 올리는 방법 / 강사 영업 노하우 2	H
	파워포인트 스킬 UP	파워포인트 실력 중, 상급으로 업그레이드	H
	강사 스킬 UP 3	강의 기법, 스팟 기법, 메시지기법,스토리텔링기법, 피크앤드기법	H
	강사 스킬 UP 4	교육 담당자, 청중, 학습자가 원하는 강의 스타일 스킬 UP 1	H
	강사 스킬 UP 5	교육 담당자, 청중, 학습자가 원하는 강의 스타일 스킬 UP 2	H
	강사 트레이닝 1	교육 담당자, 청중, 학습자가 원하는 강의 스타일 트레이닝	H
	강사 트레이닝 2	트렌드인 3D 강의! 4D 강의! 강의 스타일 트레이닝	H

 11 강사 박사 교육 커리큘럼

🔊 교육 시간은 변동사항 있을 수 있습니다!

구분	코칭주제	코칭내용	시간
강사 박사	강사 퍼스널브랜딩 1	책 쓰기 7G(초고, 원고, 퇴고, 탈고, 투고, 강의, 강사) 홀인원 1	H
	강사 퍼스널브랜딩 2	책 쓰기 7G(초고, 원고, 퇴고, 탈고, 투고, 강의, 강사) 홀인원 2	H
	강사 퍼스널브랜딩 3	유튜브, 블로그, SNS 활용, 강사 방향 잡기 1	H
	강사 퍼스널브랜딩 4	유튜브, 블로그, SNS 활용, 강사 방향 잡기 2	H
	강사양성과정 상담, 커리큘럼 운영 코칭 1	강사양성 기본 커리큘럼 배우기, 강사양성 과정 상담 코칭 자신 전문분야 강사양성 과정 커리큘럼 틀 배우기 1	H
	자신 분야 디지털 콘텐츠 제작	온라인 건물주가 되기 위한 디지털 콘텐츠 기획, 제작, 홍보 시스템 방향 잡고 만들기	H
	강사 1:1 코칭	강사 비수기 5개월 극복을 위한 강사 상담기법을 통해 강사 스킬UP 코칭법	H

방탄강사 사관학교

강사 양성과정!

강사가 원하는 양성과정 베스트 8

강사 10,000명 데이터

❶
114처럼 피드백!

114가 뭐죠? 언제든지 물어볼 수 있는 곳 힘들 때, 지칠 때, 시행착오 겪을 때, 포기하고 싶을 때 상담받을 수 있는 양성과정!

❷
꾸준한 a/s, 관리, 피드백

양성과정 후 변화, 성장 동기 부여를 해주는 곳 자리 잡 때까지 관리를 해주는 양성과정!

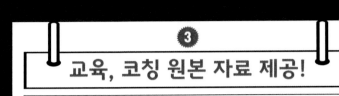

❸
교육, 코칭 원본 자료 제공!

준다고 말만 하고 안 주는 게 아닌 PDF 파일이 아닌 핵심 자료 빼는 게 아닌 파워포인트 그대로 글씨만 수정해서 바로 강의할 때 쓸 수 있는 **원본 강의 자료 그대로 주는 양성과정**

❹
교육, 코칭 영상 시청!

교육을 듣고 강의 자료를 받더라도 그때뿐 기억이 안 납니다! 가장 좋은 방법은 교육 촬영한 영상을 보고 다시 해보는 것이 가장 좋은 방법 **코칭 영상 다시 볼 수 있는 양성과정!**

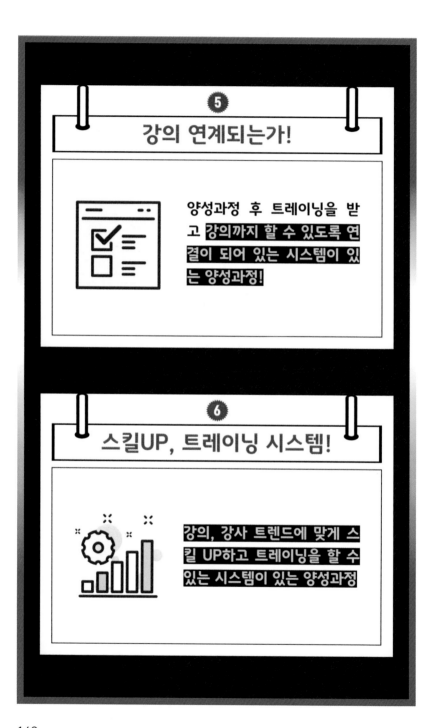

❺

강의 연계되는가!

양성과정 후 트레이닝을 받고 강의까지 할 수 있도록 연결이 되어 있는 시스템이 있는 양성과정!

❻

스킬UP, 트레이닝 시스템!

강의, 강사 트렌드에 맞게 스킬 UP하고 트레이닝을 할 수 있는 시스템이 있는 양성과정

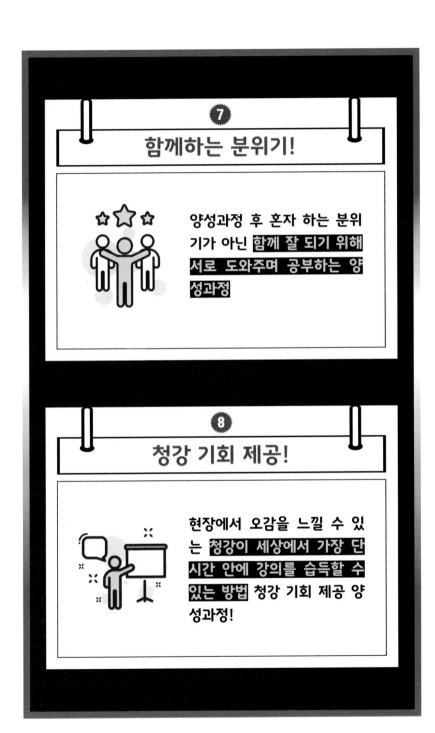

❼

함께하는 분위기!

양성과정 후 혼자 하는 분위기가 아닌 <mark>함께 잘 되기 위해 서로 도와주며 공부하는 양성과정</mark>

❽

청강 기회 제공!

현장에서 오감을 느낄 수 있는 <mark>청강이 세상에서 가장 단시간 안에 강의를 습득할 수 있는 방법</mark> 청강 기회 제공 양성과정!

강사양성 전문가

강사의 정석

강의, 강사 백과사전

최보규 방탄강사 전문가

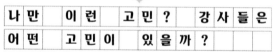

나	만		이	런		고	민	?		강	사	들	은
어	떤		고	민	이		있	을	까	?			

- 강사 10,000명 데이터-

☑ 베스트1. 자신 없는 강의분야 도전을 해야 되는데
단기간 안에 속보로 배울 수 없을까? 배울 수 있다면
속성으로 배울 수 없을까?

☑ 베스트2. 강의을 어떻게 하면 많이 할 수 있을까?
거래처를 어떻게 하면 많이 만들 수 있을까?

162

나	만		이	런		고	민	?		강	사	들	은
어	떤		고	민	이		있	을	까	?			

☑ 베스트3. 돈을 못 벌어 멘자 저하. 강의가 없어 멘자 저하. 나보다 못하는 거
같은데 상대방 잘 나가는 모습 멘자 저하. 이렇게 까지 강사 잉 해야 되나?
전에 하던 거 다시 할까? 멘자를 강하게 키우고 싶어요~

☑ 베스트4. 혼자 너무 외로워요. 공동체에 소속돼서 함께 공부하고 배우고 서로
도와주며 편하게 물어볼 수 있는 강사님들과 함께라면 힘들고 어려워도 이겨낼 수
있을 거 같은데 그런 공동체 없나요?

[멘자 : 멘탈, 자존감]

" 그 분야 전문가들은 기본을 충실합니다. 강의, 강사의
기본기부터 시작하세요!
기본기는 선택이 아닙니다! 필수입니다! "

★ 강사의 정석 1 = 방탄강사사관학교
강의, 강사 기본기를 배우고 목표·방향설정!
강의, 강사 전체적인 흐름 파악! 아하!
강의, 강사가 이런 거구나! 감잡았어!

최보규 방탄강사 전문가

강의, 강사의 필수 스킬? 파워포인트! 하지만 자신 수준에 맞춰 배울 수 있는 곳? 드물 다는 것!

★ 강사의 정석 2 = 파워포인트

우주초보 탈출 파워포인트 마우스만 움직일 줄 알면 끝!
1,000개 기능에서 10개 기능만 알면 끝! 기본은 한다고요?
전문학원가야 배울 수 있는 파워포인트 전문디자인을
기본실력만 있음! 할 수 있는 방법으로 코칭해드립니다!

최보규 방탄강사 전문가

강의를 듣는 담당자, 청중, 학습자수준은 올라가고 있습니다!
하지만 강사 강의 스킬은 그대로인 현실..

★ 강사의 정석 3 = 스킬UP

현실 가성비강사 1+3 즐거움+메시지+감동=
실천, 행동할 수 있는 강의 사용설명서 도구 활용!
1D 강의? 2D 강의? 3D 강의? 4D 강의?

지금은 3D, 4D 강의 트렌드에 맞는 강의 준비!

최보규 방탄강사 전문가

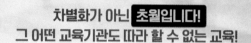

차별화가 아닌 초월입니다!
그 어떤 교육기관도 따라 할 수 없는 교육!

 첫 번째 초월

"대한민국 최초" 강사양성교육 시스템 도입!

전문 상담사와 상담을 통해 강사 상황에 맞는 교육.
강사 연차에 맞는 필요한 교육을 통해 Π 같은 교육비 낭비
를 줄이고, 강사 1학년 ~ 6학년, 강사 학사, 강사 석사1, 강사
석사2, 강사 박사 단계별 교육으로 강사가 아닌 강사 리더
를 양성하는 교육.

차별화가 아닌 초월입니다!
그 어떤 교육기관도 따라 할 수 없는 교육!

 두 번째 초월

"대한민국 최초" 강사양성교육 코칭 영상 회원제!

강사 10,000명 데이터 강사양성교육때 바라는 베스트 1
교육과정 녹화영상 언제든지 보고 배울 수 있는 강사양성교
육. 그 마음 알기에 대한민국 강사 그 누구도 못하는 것을 대
한민국 최초로 직접 촬영, 편집, 디자인 해서 회원제로 제공
하는 교육!

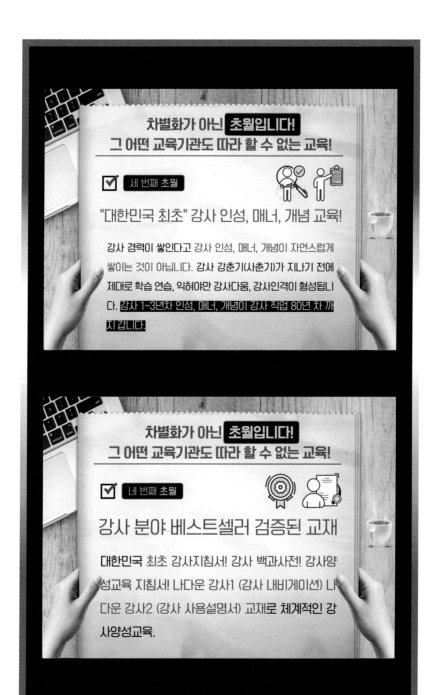

차별화가 아닌 **초월입니다!**
그 어떤 교육기관도 따라 할 수 없는 교육!

☑ **세 번째 초월**

"대한민국 최초" 강사 인성, 매너, 개념 교육!

강사 경력이 쌓인다고 강사 인성, 매너, 개념이 자연스럽게 쌓이는 것이 아닙니다. 강사 강춘기(사춘기)가 지나기 전에 제대로 학습 연습, 익혀야만 강사다움, 강사인격이 형성됩니다. 강사 1~3년차 인성, 매너, 개념이 강사 직업 80년 차 까지 갑니다.

차별화가 아닌 **초월입니다!**
그 어떤 교육기관도 따라 할 수 없는 교육!

☑ **네 번째 초월**

강사 분야 베스트셀러 검증된 교재

대한민국 최초 강사지침서! 강사 백과사전! 강사양성교육 지침서! 나다운 강사1 (강사 내비게이션) 나다운 강사2 (강사 사용설명서) 교재로 체계적인 강사양성교육.

차별화가 아닌 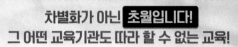 초월입니다!
그 어떤 교육기관도 따라 할 수 없는 교육!

☑  다섯 번째 초월

"대한민국 최초" 114처럼 150년 A/S, 피드백, 관리

교육받고 끝나는 것이 아닌 자리 잡을 때까지 꾸준한 관리.
37,000가지 돌발상황들 114처럼 바로바로 피드백, A/S.
강사 자자자멘습긍(자존감, 자신감, 자기관리, 자기계발,
멘탈 습관, 긍정)까지 향상 시켜주는 교육.

차별화가 아닌 초월입니다!
그 어떤 교육기관도 따라 할 수 없는 교육!

☑ 여섯 번째 초월

상성이 검증된 강사양성교육 주최자!
(진정성, 전문성, 신뢰성)

대한민국 최초 강사양성교육 출간! 강사 분야 베스
트셀러로 검증! 20,000명 상담, 코칭 경력 / 강의
5,900회 경력 / 경력으로만 교육하는 것이 아닌 강
사직업의 본질, 150년을 함께 하는 교육, 청출어람
교육. 전문 서적 18권 출간!

"같은 강사양성교육 이 아닙니다"

시작하는 강사 ~ 10년 차 강사까지 연차별
시스템으로 교육, 코칭하는 곳은
세계에서 방탄강사 사관학교뿐입니다.

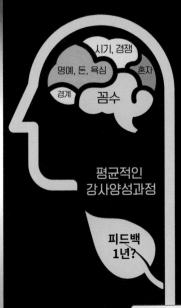

시기, 경쟁
명예, 돈, 욕심   혼자
경계   꼼수

평균적인
강사양성과정

피드백
1년?

기본기
돈   배움, 나눔
쉽게, 함께   경쟁

방탄강사
사관학교

피드백
150년

[강사양성교육 100곳 데이터]

1 차이점

교육, 코칭 받기 전과 후 태도가 다름. 시간이 지나면서 자연스럽게 피드백 받기 힘들어지고 시간 흐름 속에서 개인플레이 환경.

교육, 코칭 후 궁금하고 막히는 부분들 114처럼 언제든지 문자, 전화해서 상담받을 수 있고 150년 a/s, 관리, 피드백 환경.

평균적인
강사양성과정

방탄강사
사관학교

[강사양성교육 100곳 데이터]

2 차이점

화려한 프로필, 스펙에 비해 강의력, 강의 내공, 전문성이 느껴지지 않고 '나도 당신만큼 강의 하겠다.'라는 마음이 들게 하는 강의, 강사 수준이 낮다.

화려한 프로필, 스펙을 뒷받침해줄 수 있는 강의력, 강의 내공, 전문성을 느껴지게 하기 위해 전문 서적 18권 출간, 유튜버 활동, 한 달 책 15권 독서를 통해 강의 학습, 연습, 훈련.

[강사양성교육 100곳 데이터]

3 차이점

강의, 강사 수준에 비해 교육, 코칭비가 고가에 책정돼 있어 교육, 코칭비 값어치를 못해 돈을 낭비하는 상황이 벌어져 다른 교육, 코칭을 받아야 돼서 이중으로 돈이 들어간다.

2,000권 독서. 20,000명 상담, 코칭. 전문 서적 18권 출간, 유튜버 활동, 한 달 15권 독서에서 나오는 강의, 강사 수준은 세계 최고라고 자부하는 가치와 값어치는 하는 교육, 코칭!

평균적인
강사양성과정

방탄강사
사관학교

[강사양성교육 100곳 데이터]

4 차이점

교육, 코칭 후 스킬UP, 레벨 없을 할 수 있는 시스템이 없어 변화, 성장이 멈추게 되고 시대에 뒤떨어지게 되어 다른 교육기관에서 처음부터 다시 시작해야 되는 악순환.

시작 강사부터 10년 차까지 연차별 업그레이드 시스템과 트렌드에 맞게 변화, 성장 하기 위해 함께 학습, 연습, 훈련할 수 있는 세계 최초 강의, 강사 시스템이 있는 교육, 코칭.

[강사양성교육 100곳 데이터]

5 차이점

자신 분야, 강의 분야 외에는 다른 분야 강사 현실감이 부족해서 강의, 강사 방향 제시를 제대로 하지 못하고 주최자 강의력이 부족한데도 배움, 변화, 성장하려 하지 않고 했던 것만 한다.

10개가 넘는 강사 분야, 1,000개가 넘는 강의 분야를 대한민국 최초로 통합해서 강사 백과사전을 만들었기에 분야별 장단점을 제대로 파악하여 트렌드에 맞게 교육, 코칭.

평균적인 강사양성과정

[강사양성교육 100곳 데이터]

방탄강사 사관학교

6 차이점

강의, 강사 경력만큼 강의, 강사 인성, 매너, 개념이 있어야 되는데 경력만 있고 강사 인성, 매너, 개념이 없어 초보 강사, 후배 강사에게 갑질 하는 주최자. 강사 직업에 대해 회의감을 느끼게 하는 주최자!

'경력은 스펙이 아니다.' 신념으로 '최보규 강사님은 제가 좋은 강사가 되고 싶도록 만들어요.' 말을 들 을 수 있도록 먼저 솔선수범으로 보여주는 주최자! 204가지 강의, 강사 습관을 통해 행동으로 보여주는 주최자!

나쁜 자녀는 없다! 나쁜 부모만 있다!
나쁜 직원은 없다! 나쁜 리더만 있다!
나쁜 개는 없다! 나쁜 견주만 있다!

나쁜 강사는 없다!
나쁜 강사양성교육 주최자만 있다!
방탄강사 사관학교에서는
강사를 양성하는 교육, 코칭이 아닌
방탄강사 리더를 교육, 코칭합니다.
강사는 누구나 된다! 방탄강사 리더는 아무나 될 수 없다!

174

최보규 방탄강사 11계명

1. 학습자에게 섬김을 받으려는 강의가 아닌 학습자를 섬길 수 있는 강의를 하겠습니다.
2. 오늘이 마지막 날인 것처럼 강의하고 영원히 살 것처럼 학습자에게 배우겠습니다.
3. 강의 있는 전날에는 최상의 컨디션을 유지하기 위해 건강 관리, 목 관리, 자기관리하겠습니다.
4. 강의장 1시간 전에 도착해서 강의 마음가짐 준비 하겠습니다.
5. 강의장 가장 먼저 도착 강의 끝난 후 가장 늦게 나오겠습니다.
6. 내 삶이 강의고 강의가 내 삶이 되도록 행동 하겠습니다.
7. 힘들게 배운 강의 노하우들 아낌없이 주겠습니다.
8. 어떻게 하면 학습자에게 즐거움? 행복? 메시지? 감동? 희망? 사랑? 을 줄 것인가에 항상 생각하며 공 부하겠습니다.
9. TV보다 책을 더 보겠습니다.
10. 공인이라는 마음으로 솔선수범하겠습니다.
11. 강사의 자존심 아침에 나올 때 신발장에 넣고 나오겠습니다.

방탄강사 사관학교

방탄강사 자격증

"국가등록 민간자격"

★ 자격증명: 강사코칭전문가

★ 등록번호: 2022-001741

★ 주무부처: 교육부

★ 자격증 종류: 모바일 자격증

※ 등록하지 않은 민간자격을 운영하거나 민간자격증을 발급할 때에는 [자격기본법]에 의해 3년 이하의 징역 또는 3천만 원 이하의 벌금에 처해진다.

#

★ 자격증명: 강사코칭전문가

★ 등록번호: 2022-001741

★ 주무부처: 교육부

★ 자격증 종류: 모바일 자격증

※ 등록하지 않은 민간자격을 운영하거나 민간자격증을 발급할 때에는
[자격기본법]에 의해 3년 이하의 징역 또는 3천만 원 이하의 벌금에 처해진다.

179

검증된 코칭전문가

특허청 등록

최보규 강사책출간 코칭전문가

등록 번호: 제 40-2200794 호

특허청 등록

최보규 자기계발코칭 창시자

등록 번호: 제 40-2072344 호

특허청 등록

최보규 리더동기부여 코칭전문가

등록 번호: 제 40-2128786 호

※ 상표 및 상호를 무단 도용할 경우
[특허법]에 의해 1억 원 이하의 벌금, 7년 이하의 형사처분을 받을 수 있습니다.

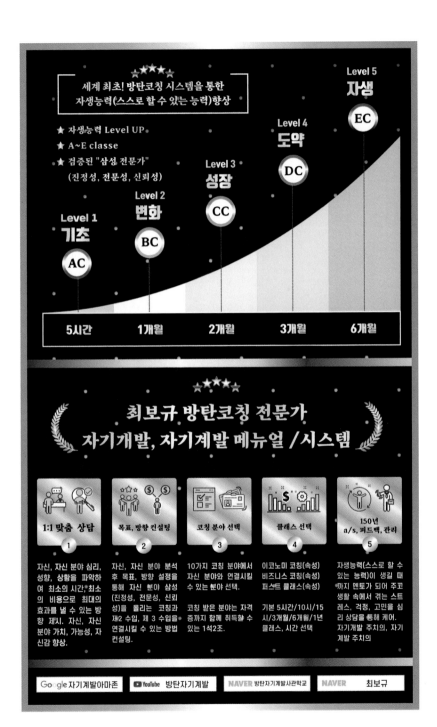

181

★ ★ ★ ★ ★

검증된 전문가 교육시스템

회원제를 통한 맞춤 학습, 연습, 훈련
오프라인 전문상담사가 검진 후 특별맞춤 학습, 연습, 훈련

검증된 강사코칭 전문가

세계 최초 강사 백과사전
강좌 사용설명서를 만든 전문가!
150년 A/S, 관리,해주는 책임감!

검증된 책 쓰기 전문가 100권

행복히어로
나다운 강사 1, 2
나다운 방탄멘탈
나다운 방탄습관블록
나다운 방탄 카피 사전
나다운 방탄자존감 명언 I , II
방탄자기계발 사관학교
자기계발코칭전문가 1,2,3,4,5,6
나다운 방탄리더십 1,2,3,4,5
외 100권

검증된 자기계발 전문가

방탄행복 참시자!
방탄멘탈 참시자!
방탄습관 참시자!
방탄자존감 참시자!
방탄자기계발 참시자!
방탄강사 참시자!
방탄리더십 참시자!

검증된 상담 전문가

20,000명 심리 상담, 코칭 !
독학하기 힘든 자자자자멘습금
(자존감, 자신감, 자기관리, 자기계
발, 멘탈, 습관, 긍정)
1:1 케어까지 해주며 행복 주치의가
되어주는 전문가!

★ ★ ★ ★ ★

강력추천

이런 사람들 반드시 상담, 코칭 받으세요!

현재 상황에 가장 필요한 것을 상담 후 가장 효율적인 시스템을 적용합니다.

**변화, 성장, 배움, 행동
동기부여, 셀프케어**

1

지금처럼이 아니라 지금부
터 다시 시작하고 때를 기
다리는 사람이 아닌 때를
만들고 싶은 분

자신분야 전문성
(진정성, 전문성, 신뢰성)

2

경력은 스펙이 아니다! 자
신 분야 차별화로 부케릭
터들(부업)만들어 자신 몸
값을 올리고 싶은 분

**자신분야 자동
시스템(돈) 연결**

3

움직이지 않아도 자동으로
돌아가는 돈 버는 시스템
을 만들고 싶은 분

해보자! 해보자!
자신 가능성을 믿고!

해보자!

해보자!

자신의
사과 씨, 도토리, 포도 씨 믿으세요!

사과 씨 안에 얼마나 많은 사과가 있는지 모른다!
도토리 안에 얼마나 많은 도토리가 있는지 모른다!
포도 씨 안에 얼마나 많은 포도가 있는지 모른다!

80%는 교육으로 만들어진다? 300% 틀렸습니다!

세계 최초! 방탄동기부여 효율적인 교육 시스템!

교육
= 20%

1단계

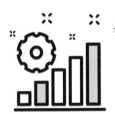

스스로
학습, 연습, 훈련

= 30%

2단계

검증된 전문가
a/s,관리,피드백

= 50%

150년
a/s,관리,피드백

3단계

20,000명 심리 상담, 코칭 하면서
알게 된 2:3:5공식!

교육 = 20% 1단계

스스로
학습, 연습, 훈련 = 30% 2단계

검증된 전문가
a/s, 관리, 피드백 = 50% 3단계
feedback
150년
a/s, 관리, 피드백

평균적으로 학습자들은 교육만 받으면 80% 효과를 보고 동기부여가 되어 행동으로 나올 것이라고 착각합니다.

그러다 보니 교육받는 동안 생각만큼, 돈을 지불한 만큼 자신 기준의 미치지 못하면 효과를 보지 못할 거라고 지레짐작으로 스스로가 한계를 만들어 버립니다. 그래서 행동으로 옮기지 못하는 것이 상황, 교육자가 아닌 자기 자신이라는 것을 모릅니다.

20,000명 심리 상담, 코칭, 리더 자기계발서 100권 출간, 리더 습관 320가지 만듦, 시행착오, 대가 지불, 인고의 시간을 통해 가장 효율적이며 효과적인 교육 시스템은 2:3:5라는 것을 알게 되었습니다.

교육 듣는 것은 20%밖에 되지 않습니다. 교육을 듣고 스스로가 생활 속에서 배웠던 것을 토대로 30% 학습, 연습, 훈련해야 합니다.
학습, 연습, 훈련한 것을 가장 중요한 50%인 검증된 전문가에게 꾸준히 a/s, 관리, 피드백을 받아야만 2:3:5공식 효과를 볼 수 있습니다.

Best 6

검증된 방탄 PT 분야

동기부여 방탄 PT 1

<저자 최보규>

자격증 발급기관

앞도적 차이를 만드는 방탄 PT!
앞서가는 사람은 방탄 PT 받는다!

☑ 7대 동기부여 PT	☑ 멘탈 동기부여 PT
☑ 비전 동기부여 PT	☑ 습관 동기부여 PT
☑ 열정 동기부여 PT	☑ 긍정 동기부여 PT
☑ 목표 동기부여 PT	☑ 인간관계 동기부여 PT
☑ 자존감 동기부여 PT	☑ 행복 동기부여 PT
☑ 자신감 동기부여 PT	☑ 스피치 동기부여 PT
☑ 변화 동기부여 PT	☑ love 동기부여 PT
☑ 성장 동기부여 PT	☑ Smile 동기부여 PT

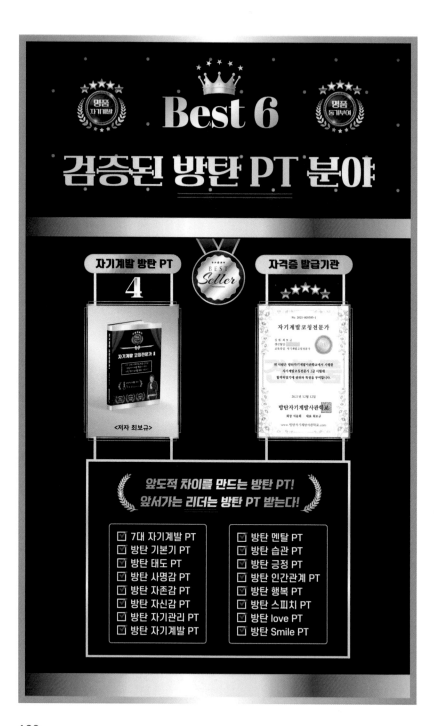

Best 6

검증된 방탄 PT 분야

방탄 강사 방탄 PT

5

<저자 최보규>

자격증 발급기관

앞도적 차이를 만드는 방탄 PT!
앞서가는 강사는 방탄 PT 받는다!

☑ 강사 7대 의무교육 PT
☑ 강사 인성, 매너 PT
☑ 강사 품위유지의무 PT
☑ 강사1~3년차 PT
☑ 강사 3~10년차 PT
☑ 강사 10~20년차 PT
☑ 강사료 UP PT
☑ 비수기 극복 PT

☑ 강사 스킬UP PT
☑ 강사 SPOT 기법 PT
☑ 강사 스토리텔링 기법 PT
☑ 강사, 작가 트레이닝 PT
☑ 강사 양성 매뉴얼 제작 PT
☑ 강의 분야 개발 PT
☑ 강사 코칭 시스템 제작 PT
☑ 강의 영상 제작 PT

Best 6

검증된 방탄 PT 분야

책 쓰기, 출간 방탄 PT
6

<저자 최보규>

자격증 발급기관

**앞도적 차이를 만드는 방탄 PT!
앞서가는 리더는 방탄 PT 받는다!**

- ☑ 작가 7대 의무교육 PT
- ☑ 책 쓰기 동기부여 PT
- ☑ 책 출간 동기부여 PT
- ☑ 책 쓰기 10G PT
- ☑ 리더 책 쓰기 PT
- ☑ 강사 책 쓰기 PT
- ☑ 일반인 책 쓰기 PT
- ☑ 6가지 수입 창출 PT

- ☑ 온라인 건물주 책 출간 PT
- ☑ 작가 품위유지의무 PT
- ☑ 강사 되기 위한 책 출간 PT
- ☑ 강의 교안으로 책 출간 PT
- ☑ 출간한 책으로 교안 작업 PT
- ☑ 출간한 책으로 영상제작 PT
- ☑ 100년 지속 할 수 있는 기술력을 배우는 책 쓰기, 출간

자신 분야 스펙, 내공, 가치, 값어치

카페에서 냅킨에 그린 그림이 1억?

카페에 피카소가 앉아 있었습니다. 한 손님이 다가와 종이 냅킨 위에 그림을 그려 달라고 부탁했습니다. 피카소는 상냥하게 고개를 끄덕이곤 빠르게 스케치를 끝냈습니다. 냅킨을 건네며 1억 원을 요구했습니다.

손님이 깜짝 놀라며 말했습니다. 어떻게 그런 거액을 요구할 수 있나요? 그림을 그리는 데 1분밖에 걸리지 않았잖아요. 이에 피카소가 답했습니다.

아니요. 40년이 걸렸습니다. 냅킨의 그림에는 피카소가 40여 년 동안 쌓아온 노력, 고통, 열정, 명성이 담겨 있었습니다. 피카소는 자신이 평생을 바쳐서 해온 일의 가치를 스스로 낮게 평가하지 않았습니다.

《확신》

명품 자기계발

명품 동기부여

★★★★★ 차별이 아닌 초월 혜택 ★★★★★

 Google 자기계발아마존   YouTube 방탄자기계발  NAVER 방탄book기술력   NAVER 최보규

이코노미 PT

기본 5H : 500,000원

- ☑ 150년 A/S (세계 최초)
- ☑ 마스터한 분야 자격증 1종 취득
- ☑ 방탄자기계발사관학교 강사 위촉
- ☑ 방탄자기계발사관학교 마스터 위촉
- ☑ 비지니스 PT 10% 할인
  (10만원 상당)
- ☑ 퍼스트클래스 PT 10% 할인
  (30만원 상당)
- ☑ 마스터한 분야 실전 2시간 강의
  교안 제공. (강사료 200만원 상당)

특허청 등록
최보규 강사책출간 코칭전문가
등록 번호 : 제 40-2200794 호

★★★★★ 차별이 아닌 초월 시스템 ★★★★★

타사와 비교불가 초월 혜택!
자신 분야 온라인 건물주가 되어 100년 수입 창출!

Google 자기계발아마존   ▶YouTube 방탄자기계발   NAVER 방탄book기술력   NAVER 최보규

비지니스 PT

기본10H : 1,000,000원

CHECK POINT

☑ 기본 1회(2~3일=10H)

☑ 6가지 수입 창출 시스템 실전 훈련

☑ 150년 A/S, 피드백

특허청 등록

최보규 강사책출간 코칭전문가

등록 번호: 제 40-2200794 호

★★★★★ **차별이 아닌 초월 혜택** ★★★★★

 자기계발아마존　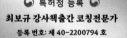 방탄자기계발　NAVER **방탄book기술력**　NAVER **최보규**

비지니스 PT

기본 10H : 1,000,000원

- ☑ 150년 A/S, 피드백
- ☑ 마스터한 분야 자격증 1종 취득
- ☑ 방탄자기계발사관학교 전임 강사 위촉
- ☑ 방탄자기계발사관학교 전임 마스터 위촉
- ☑ 퍼스트클래스 PT 10% 할인
  (30만원 상당)
- ☑ 강사 맞춤 트레이닝 비대면 1회 제공
  (50만원 상당)
- ☑ 마스터한 분야 실전 2시간 강의 교안
  제공, 1:1 맞춤 교안 설명
  (강사료 200만원 / 1:1 맞춤 100만원 상당)

특허청 등록
최보규 강사책출간 코칭전문가
등록 번호: 제 40-2200794 호

★★★★★ **차별이 아닌 초월 시스템** ★★★★★

타사와 비교불가 초월 혜택!
자신 분야 온라인 건물주가 되어 100년 수입 창출!

Google 자기계발아마존 　▶YouTube 방탄자기계발 　NAVER 방탄book기술력 　NAVER 최보규

퍼스트클래스 *PT*

기본 15H : 3,000,000원~

CHECK POINT

☑ 기본 1회(15H) / (2회 ~ 5회 선택 사항)
☑ 6가지 수입 창출 **자동 시스템 구축**
☑ 150년 A/S, 피드백, VIP맞춤 관리

★★★★★ **차별이 아닌 초월 혜택** ★★★★★

Google 자기계발아마존   ▶YouTube 방탄자기계발   NAVER **방탄book기술력**   NAVER **최보규**

퍼스트클래스 PT

기본 15H : 3,000,000원~

- ☑ 150년 A/S, 피드백, VIP맞춤 관리
- ☑ 자격증 3종 취득 (150만원 상당)
- ☑ 방탄자기계발사관학교 지회장 위촉
- ☑ 종이책, 전자책 출간 후 네이버 인물 등록
- ☑ 20H, 30H, 40H, 50H PT 20% 할인
- ☑ 강사 맞춤 트레이닝 대면 1회 제공
  (50만원 상당)
- ☑ 프로필 유튜브 홍보 영상 제작
  (100만원 상당)
- ☑ 마스터한 분야 풀 패키지 (교안 제공,
  1:1 맞춤 교안 설명, 청강 1회 제공)
  (강사료 200만원 / 1:1 맞춤 100만원 /
  청강 1회 200만원 상당)

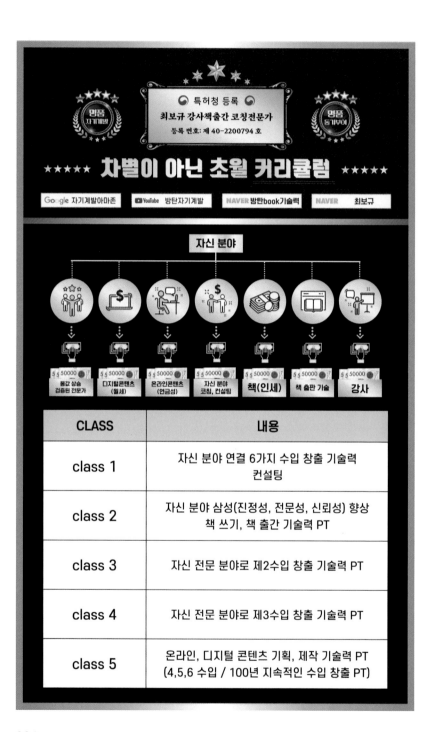

최보규 방탄동기부여 전문가
검증된 PT, 강의, 맞춤 코칭, 컨설팅

◎ 특허청 등록 ◎
최보규 강사책출간 코칭전문가
등록 번호: 제 40-2200794 호

최보규 대표
010-6578-8295

◎ 특허청 등록 ◎
최보규 자기계발코칭 창시자
등록 번호: 제 40-2072344 호

방탄자기계발사관학교는 국가등록 민간자격증 발급 기관! 명품 인재 양성 기관!

리더십코칭전문가	동기부여코칭전문가	자기계발코칭전문가	강사코칭전문가	책쓰기코칭전문가

리더 분야	동기부여 분야	자기계발 분야	강의, 강사 분야	책쓰기, 책출간 분야

〈저자 최보규〉

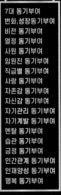
〈저자 최보규〉

〈저자 최보규〉

〈저자 최보규〉

〈저자 최보규〉

방탄 리더십	7대 동기부여	7대 자기계발	강사 7대 의무교육	책 쓰기 동기부여
리더 7대의무교육	변화,성장동기부여	변화,성장자기계발	강사 인성, 매너	책 출간 동기부여
리더 품위유지의무	비전 동기부여	비전 자기계발	강사 품위유지의무	작가 품위유지의무
리더 은퇴, 재테크	열정 동기부여	열정 자기계발	강사1-3년 차	책 쓰기, 책 출간 10G
리더 스피치	사원 동기부여	사원 자기계발	강사료 몰리기 위한 준	매뉴얼, 시스템.
리더 사명감, 인성	임원진 동기부여	임원진 자기계발	비. 스펙 쌓기.	100권 출간으로 월세,
리더 기본기, 태도	직급별 동기부여	직급별 자기계발	강사4-10년 차	연금성 수입 창출전수.
리더 자존감, 멘탈	사랑 동기부여	사랑 자기계발	강사료 몰리기 의한 준	강의 교안으로 책 쓰고
리더 습관, 행복	자존감 동기부여	자존감 자기계발	비. 스펙 쌓기.	책 출간.
리더 인간관계	자신감 동기부여	자신감 자기계발	강사10-20년 차	출간한 책으로 강의 교
인재 양성 매뉴얼	자기관리 동기부여	자기관리 자기계발	강사료 몰리기 위한 준	안 작업.
리더 감정컨트롤	자기계발 동기부여	자기계발 자기계발	비. 스펙 쌓기.	출간한 책으로 온라인,
리더 스트레스관리	멘탈 동기부여	멘탈 자기계발	강사 스킬UP	디지털 콘텐츠 제작.
리더 감포형성기법	습관 동기부여	습관 자기계발	강사 트레이닝	6가지 수입을 창출 하
리더 상담기법	긍정 동기부여	긍정 자기계발	강의 스토리텔링 기법	는 책 쓰기, 책 출간.
리더 코칭기법	인간관계 동기부여	인간관계 자기계발	강의 SPOT 기법	100년 지속 할 수 있
리더 스토리텔링	인재양성 동기부여	인재양성 자기계발	강사 양성 매뉴얼	는 기술력을 배우는 책
	행복 동기부여	행복 자기계발	강사 양성 시스템	쓰기, 책 출간.

Google 자기계발아마존 | ▶YouTube 방탄자기계발 | NAVER 방탄자기계발사관학교 | NAVER 최보규

◆ 참고문헌, 출처

《마음을 밝혀주는 소금 1》 내용 각색

<SBS 드라마 낭만닥터 김사부>

<중용 23장>

<유튜브 터닝포인트 - 위대한 성공의 시작점>

www.방탄자기계발사관학교.com

《캣치》 바네사 반 에드워즈, 쌤앤파커스, 2028

《회복탄력성》 김주환, 위즈덤하우스, 2019

<두산백과>

《최고의 설득》 <유튜브 책그림>

《나다운 강사1》 최보규, 좋은땅, 2019

강사 비수기 5개월 10
(돈 못 버는 강사 돈 버는 강사)

발 행 | 2024년 08월 08일

저 자 | 최보규, 서윤희

편 집 | 최보규, 서윤희

디자인 | 최보규, 서윤희

마케팅 | 최보규

펴낸이 | 한건희

펴낸곳 | 주식회사 부크크

출판사등록 | 2014.07.15.(제2014-16호)

주 소 | 서울특별시 금천구 가산디지털1로 119 SK트윈타워 A동 305호

전 화 | 1670-8316

이메일 | info@bookk.co.kr

ISBN | 979-11-410-9867-4

www.bookk.co.kr